MW00559913

Marc Chagall

Les Fables de La Fontaine

Marc Chagall

Les Fables de La Fontaine

Céret,
musée d'Art moderne

28 octobre 1995-8 janvier 1996

Nice,
Musée National Message Biblique Marc Chagall

13 janvier-25 mars 1996

Réédité à l'occasion de l'exposition
Chagall connu et inconnu
Galeries nationales du Grand Palais
Paris

11 mars-23 juin 2003

Réunion des Musées Nationaux

Cette exposition a été organisée par
la Réunion des musées nationaux /
Musée National Message Biblique Marc Chagall,
et la ville de Céret/musée d'Art moderne de Céret.

Le projet a été coordonné au musée d'Art moderne de Céret par Claudine Caritg,
au Musée National Message Biblique Marc Chagall par Françoise Paquet,
et au Département des expositions de la Réunion des musées nationaux par Anne Fréling
et par Hélène Flon pour le mouvement des œuvres.

La présentation de cette exposition au musée d'Art moderne de Céret
a été conçue par Joséphine Matamoros
et au Musée National Message Biblique Marc Chagall
par Sylvie Forestier.
Elle a été réalisée avec l'aide des équipes techniques
de chacun des musées.

Le musée d'Art moderne de Céret remercie tout particulièrement
pour l'aide apportée à la réalisation de cette exposition :

le Ministère de la Culture, Direction des musées de France
la Préfecture du Languedoc-Roussillon, Direction des Affaires culturelles
le Conseil régional Languedoc-Roussillon
le Conseil général des Pyrénées-Orientales
l'Association des Amis du musée d'Art moderne de Céret.

L'édition du catalogue a bénéficié du soutien du
musée Léon-Dierx de Saint-Denis de la Réunion

Illustration de couverture :
Marc Chagall, *Le Lion devenu vieux*, collection particulière, Suisse.

49, rue Étienne-Marcel, 75001 Paris

Que toutes les personnalités et collections particulières
qui ont permis par leur généreux concours
la réalisation de cette exposition trouvent ici
l'expression de notre gratitude et tout particulièrement :

la collection Arland
la collection Bernheim-Jeune
la collection Roberto Casamonti, Florence
la collection Larock-Granoff, Paris

ainsi que toutes celles qui ont préféré garder l'anonymat.

Nos remerciements s'adressent également
aux responsables des collections publiques suivantes :

Allemagne
Heidelberg, *Kurpfälzisches Museum*

Belgique
Bruxelles, *Musées Royaux des Beaux-Arts de Belgique*

France,
Aix-en-Provence, *bibliothèque Méjanes*
Nice, *bibliothèque municipale*
Paris, *musée d'Art moderne de la Ville de Paris,*
musée national des Arts et Traditions populaires
musée national d'Art moderne
Saint-Denis de La Réunion, *musée Léon-Dierx*

Pays-Bas
Amsterdam, *Stedelijk Museum*

Commissaire de l'exposition :

Didier Schulmann
Conservateur au musée national d'Art moderne, Paris

assisté de :
Juliette Braillon

Conservateur en chef du Patrimoine
chargé du musée d'Art moderne de Céret :
Joséphine Matamoros

Conservateur général du Patrimoine
chargé du Musée National Message Biblique Marc Chagall :
Sylvie Forestier

REMERCIEMENTS

Nous avons bénéficié dans nos recherches en vue de la présentation
et de la publication des gouaches de Chagall pour les *Fables* de La Fontaine
du concours d'une chaîne exceptionnelle d'"informateurs".
Qu'ils trouvent ici l'expression de notre reconnaissance pour nous avoir aidés
à localiser les œuvres, à obtenir leurs prêts, pour avoir contribué également
à documenter le contexte de la réalisation de cette série.

Peter Ade, Munich ; Mme Adriaens Pannier, Musées royaux des Beaux-Arts
de Belgique, Bruxelles ; Henry Arnhold, New York ;
Janine Arnold, galerie Koller, Zürich ; Éva Assayag, Paris ;
Oliver Barker, Sotheby's, Londres ; Elmar Bauer, Wilhelm-Hack-Museum, Ludwigshafen ;
Ernst Beyeler, galerie Beyeler, Bâle ; Mme Georges Blache, Montfort-l'Amaury ;
Jennifer Blessing, Solomon R. Guggenheim Museum, New York ; Alexis Blum, Bâle ;
Marcel Bonnaud, Paris ; Viveca Bosson, Mjellby Art Centre, Halmstad ;
Jana Brabcova, Narodní Galerie, Prague ;
Janet F. Briner, Genève ; Hélène Bussers, Musées royaux des Beaux-Arts
de Belgique, Bruxelles ; Gérald Calderon, Paris ; Mme Louis Camu, Ronsevaal-Aalst ;
Andrea Caratsch, Zurich ; Birgitta Castenfors,
Statens Konstmuseer, Stockholm ; Laurence Cavy, Christie's, Paris ;
Meredith et Philippe Charpantier, San Francisco ; Micheline Colin,
Musée royaux des Beaux-Arts de Belgique, archives Le Centaure ;
Susan Compton, Oxted ; Émilie Daniel, Paris ; Guy-Patrice Dauberville,
galerie Bernheim-Jeune, Paris ; Michel Dauberville, galerie Bernheim-Jeune, Paris ;
Bernd Dütting, galerie Beyeler, Bâle ; Maître Marc Ferri, Paris ;
Hanne Führer, Kunsthaus Lempertz, Cologne ; Christian de Galea, Paris ;
Richard Gassen, Wilhelm-Hack-Museum, Ludwigshafen ;
Delphine Giraud, Sotheby's, Londres ; Babbie Grunebaum-Grüner, Saint-Thomas,
Iles Vierges ; Werner Haftmann, Waakirchen ; Dominique Heckenbenner,
musée du Pays de Sarrebourg ; Nicole d'Huart, musée d'Ixelles, Bruxelles ;
René Huyghes, Paris ; Jacqueline Klugman, Paris ; Cyril Koller, galerie Koller, Zurich ;
Pascale Krausz, étude Loudmer, Paris ; Yves Lebouc, Paris ;
Isabelle Le Masne de Chermont, Archives des musées de France ; Josie Lerch, Monaco ;
Jean Leymarie, Paris ; Michaël Lonsdale, Paris ; Henri Loyrette,
musée d'Orsay, Paris ; Alex Maguy, Paris ; Mme van Maldergem, Bruxelles ;
Martine Ménard, juge de tutelle, tribunal d'instance de Corbeil ;
Meret Meyer, Paris ; Marion Mollard, Rouen ; Jean-Paul Morel, Paris ;
Juliet Nations-Powell, Solomon R. Guggenheim Museum, New York ;
Nadine Nieszawer, Paris ; Jean-Louis Prat, Saint-Paul ; Tilla Rudel, Paris ;
Rivka Saker, Sotheby's, Tel-Aviv ; Juliette Salzmann, Paris ; Brigitte Shehadé, Paris ;
Ruth Steiner, Piedmont ; Claire Stoullig, Genève ; Andrew Strauss,
Sotheby's, Paris ; Viviane Tarenne, Paris ; Sarah Tooley, Waddington Galleries, Londres ;
Klement Toussaint, Cologne ; Germain Viatte, MNAM, Paris ;
Stacey West, Christie's, New York.

PRÉFACE

Est-ce ici une édition de quarante-trois *Fables* de La Fontaine ou la publication de quarante-trois gouaches de Marc Chagall, pour la plupart inédites ? Et à quoi correspond ce choix ?

C'est le récit de l'aventure de cette série peu connue, qu'on lira dans les pages suivantes, qui permet de répondre à cette question. Qu'il suffise, en ouverture de ce livre, de révéler que, s'il avait pu être complet, il comprendrait cent *Fables* et cent gouaches. Pourquoi donc ne pas les avoir rassemblées ? La réponse est l'histoire même de cette petite exposition, qu'en cette année 1995, tricentenaire de la mort de Jean de La Fontaine et dixième anniversaire de la mort de Chagall, nos deux musées sont convenus d'accueillir.

Ces cent gouaches sont réalisées en 1926-1927, exposées en trois points de l'Europe (Paris, Bruxelles et Berlin) en 1930, toutes vendues à l'issue de ces trois expositions, à presque autant de collectionneurs qu'il y a de gouaches. Aucun musée, à l'époque, ne se porte acquéreur. Dès 1928, l'édition en couleur, initialement prévue par Vollard, échoue à la suite d'essais insatisfaisants. Chagall grave alors des plaques en vue d'estampes. Quelques tirages de gravures sont réalisés, mais le projet éditorial des *Fables* avec textes et images ne débouche pas non plus. Les années 30 passent, la Seconde Guerre mondiale arrive, avec son cortège d'horreurs, qui a pour conséquence le démantèlement et la disparition de nombreuses collections privées. À la fin des années 40, la renommée internationale de Chagall est désormais affirmée : le Museum of Modern Art (MoMA) de New York, où Chagall est installé depuis 1941, lui consacre en 1946 sa première rétrospective. Une gouache des *Fables* – c'est la première fois, depuis 1930[1], qu'on en

montre une dans une exposition Chagall organisée par un musée – y figure : *Le Meunier, son Fils et l'Âne*, prêtée par Mme Helena Rubinstein[2]. L'année suivante, l'exposition inaugurale du musée national d'Art moderne de Paris est également une rétrospective Chagall, qui prélude au retour de l'artiste en France, mais qui ne comprend aucune gouache de la série. Les expositions de Zurich et de Berne, fin 1950-début 1951, en comprennent deux : *Le Loup, la Mère et l'Enfant* et *L'Ours et les deux Compagnons*. C'est à cette période que Chagall entreprend de récupérer les cent plaques qu'il avait gravées en 1929 et en 1930. Leur édition, en deux volumes in-folio, avec les textes des *Fables*, sera réalisée par André Tériade, en 1952. Après le milieu des années 50, la publication de cette édition et l'attention qu'y porte la critique occultent les gouaches elles-mêmes, dont le souvenir semble s'être perdu. On en voit certaines apparaître, exceptionnellement, dans des expositions. Quelques galeries[3] en présentent, mais c'est là une divulgation rare et confidentielle, relayée à partir des années 70 par les grandes maisons de vente anglo-saxonnes. Certaines expositions thématiques dans des musées[4] en rassemblent quelques-unes, mais c'est surtout à l'occasion de grandes rétrospectives monographiques[5], qui établissent la gloire de Chagall à partir de la fin des années 1950, que le plus grand nombre (mais jamais plus de six à la fois) de ses gouaches illustrant les *Fables* de La Fontaine sont redécouvertes.
Une mention toute particulière doit être formulée à l'égard de deux expositions. En 1990, Susan Compton concevait, pour le Wilhelm-Hack Museum de Ludwigshafen, une exposition « Marc Chagall, mein Leben, mein Traum » qui visait à explorer la période charnière entre le second (et dernier) départ de Russie (1922) et l'installation à Paris, années au cours desquelles Chagall doit, tout à la fois, faire le deuil de ses racines familiales et communautaires et de ses espoirs politiques et culturels. Susan Compton, commissaire de cette exposition, choisit de présenter sept gouaches[6] pour les *Fables*, qu'elle sélectionna en tant que manifestations flagrantes de la capacité d'acculturation de Chagall. Plus récemment, en 1992, le musée de Sarrebourg consacrait une exposition à Chagall et les *Fables* de La Fontaine, qui présentait essentiellement des gravures, que trois gouaches vinrent compléter[7]. C'est dire l'importance de cette publication et de l'exposition qui lui sert de

prétexte : à Céret et à Nice, dix gouaches qui n'ont pas été vues depuis 1930 seront exposées : *L'Âne et le Chien, La Chatte métamorphosée en femme, Le Cheval et l'Âne, Le Coq et le Renard, Le Loup devenu berger, Le Loup et l'Agneau, La Perdrix et les Coqs, Le Pot de terre et le Pot de fer, Le Renard et la Cigogne* et *La Souris métamorphosée en fille*. Sept gouaches, également inédites, n'ont pu être prêtées pour l'exposition, mais la mise à disposition de leurs reproductions photographiques a permis leur insertion dans le catalogue : *Le Cygne et le Cuisinier ; Les Deux Mulets ; Les Deux Perroquets, le Roi et son Fils ; Le Héron ; Le Petit Poisson et le Pêcheur ; Le Rieur et les Poissons* et *Le Statuaire et la Statue de Jupiter*.

Ce rassemblement visait initialement à l'exhaustivité, mais l'extrême dispersion des gouaches entre les mains de collectionneurs de dessins, peu connus du monde des musées, et la faible présence d'œuvres de cette série en collections publiques[8], n'ont pas permis d'en localiser plus. À ces difficultés s'ajoutent les problèmes liés à l'identification de l'attribution des gouaches aux *Fables* : lors de nombreuses ventes aux enchères, ce sont des titres fantaisistes (on a confondu, par exemple, l'âne et le mulet), sans relation avec ceux des *Fables*, qui furent portés sur les catalogues de vente. Restent toutefois trente gouaches[9], qu'on ne verra ni dans cette publication, ni dans l'exposition que nous organisons, ni dans celles dont nous venons de retracer l'histoire, et qui n'ont figuré dans aucune vente publique depuis leur présentation à Berlin en avril 1930. Que sont-elles devenues ? Perdues ? Détruites ? Aucune photographie en couleurs, n'est susceptible d'aider le chercheur à visualiser les inventions chromatiques qu'elles inspirèrent à Chagall ; seules les gravures permettront de les identifier au cas où la mémoire de leur appartenance à cette série se serait perdue. Leur absence, en tout cas, laisse le champ libre aux recherches à venir.

JOSÉPHINE MATAMOROS SYLVIE FORESTIER

1. Une des premières expositions Chagall sur le continent nord-américain, à la galerie Demotte de New York, en 1930, comprenait toutefois la gouache qui sera le plus souvent montrée, *Le Satyre et le Passant*, et témoigne de sa précoce présence dans une collection américaine (J.-B. Neumann, New York).
2. Qui, dès 1941, l'avait mise à disposition d'une exposition internationale de gouaches, à l'Art Institute de Chicago.

3. Chez Chalette à New York en 1958 – *Le Paon se plaignant à Junon* –, chez Klipstein & Kornfeld à Berne en 1960 – *La Vieille et les deux Servantes* –, et, surtout, chez O'Hana à Londres en 1961 qui en présente six : *L'Avare qui a perdu son trésor ; Le Lièvre et les Grenouilles ; Le Lion devenu vieux ; Le Loup, la Mère et l'Enfant ; L'Œil du maître* et *Le Renard et les Raisins* ; en 1984, chez Beyeler à Bâle – *Le Loup, la Mère et l'Enfant* – et en 1993 chez Piltzer à Paris – *Le Satyre et le Passant.*
4. MNAM, Paris, 1958 – *Le Chat et les deux Moineaux* ; musée d'Ixelles, Bruxelles, 1963 – *La Fille ;* Royal Academy of Arts, Londres, 1963 – *Le Chat et les deux Moineaux* ; musée Léon-Dierx, Saint-Denis de la Réunion, 1970 – *Le Corbeau voulant imiter l'Aigle* ; MoMA, New York puis Toronto, Champaign et Toledo, 1977-1978 – *Le Paon se plaignant à Junon.*
5. Kunstverein de Hambourg ; Haus der Kunst de Munich ; musée des Arts décoratifs de Paris, 1959, qui, deux ans avant l'exposition chez O'Hana, présentent également six gouaches – *Le Berger et la Mer ; Le Fou qui vend sa sagesse ; La Grenouille qui veut se faire aussi grosse que le Bœuf ; La Jeune Veuve ; La Lice et sa Compagne et Le Lion et le Moucheron* ; Art Center de La Jolla (Calif.), 1962 – *Le Satyre et le Passant* – qui figurera également au musée de Kyoto en 1963 ; Kunsthaus de Zurich, 1967, cinq gouaches – *Le Chartier embourbé ; Le Lion devenu vieux ; Le Loup, la Mère et l'Enfant ; L'Ours et l'Amateur de jardins* et *Le Renard et les Poulets d'Inde* ; musée des Augustins, Toulouse – *L'Homme et son Image* et *Le Satyre et le Passant ;* Kunsthalle de Cologne – *Le Loup, la Mère et l'Enfant* ; Grand Palais, Paris, 1969 – *Les Deux Taureaux et une Grenouille, Le Lion devenu vieux* et *Le Singe et le Léopard* ; Musée national, Budapest, 1972 – *Le Lion devenu vieux*, 1975 : Guggenheim, New York, 1975 – *La Fortune et le jeune Enfant, Le Paon se plaignant à Junon* et *Le Satyre et le Passant* ; quatre gouaches à la Fondation Prouvost, Marcq-en-Barœul – *L'Aigle et l'Escarbot ; L'Âne chargé d'éponges et l'Âne chargé de sel ; Le Curé et le Mort* et *Le Soleil et les Grenouilles* ; Staatliche Kunstsammlungen, Dresde, 1976 – *La Femme noyée* ; Moderna Museet, Stockholm, 1982 – *Le Loup plaidant contre le Renard par devant le Singe* et *L'Oiseau percé d'une flèche* – et Palazzo dei Diamanti, Ferrare, 1992 – *Le Curé et le Mort* et *L'Aigle, la Laie, la Chatte.*
6. *Le Curé et le Mort ; Le Loup, la Mère et l'Enfant ; L'Oiseau blessé d'une flèche ; L'Ours et les deux Compagnons ; Le Rat et l'Éléphant ; Le Satyre et le Passant* et *L'Ivrogne et sa Femme.*
7. *Le Curé et le Mort ; La Grenouille qui veut se faire aussi grosse que le Bœuf* et *Le Renard et les Raisins.*
8. Rappelons les cinq musées qui ont la chance d'en conserver :

– le Stedelijk Museum d'Amsterdam pour *L'Oiseau blessé d'une flèche*, grâce à la donation Regnault ;

– le musée d'Art moderne de la Ville de Paris pour *Le Curé et le Mort*, grâce au legs Sarmiento ;

– le musée Léon-Dierx de Saint-Denis de la Réunion pour *Le Corbeau voulant imiter l'Aigle*, grâce au legs Lucien Vollard ;

– le musée de Heidelberg pour *L'Ours et les deux Compagnons*, grâce à la très récente donation Grunebaum ;

– le musée royal des Beaux-Arts de Bruxelles pour *La Grenouille qui veut se faire aussi grosse que le Bœuf*, grâce au legs Louis Lazard.

9. *L'Aigle et le Hibou ; Le Berger et son Troupeau ; Le Cerf et la Vigne ; Le Cerf se voyant dans l'eau ; Le Charlatan ; Le Cheval s'étant voulu venger du Cerf ; Le Coq et la Perle ; Le Corbeau et le Renard ; Les Deux Chèvres ; Les Deux Coqs ; Les Deux Pigeons ; Les Devineresses ; L'Enfant et le Maître d'école ; Le Geai paré des plumes du Paon ; La Génisse, la Chèvre et la Brebis, en société avec le Lion ; Les Grenouilles qui demandent un roi ; La Laitière et le Pot au lait ; Le Lion et le Chasseur ; Le Lion et le Rat ; Le Loup et la Cigogne ; Le Loup, la Chèvre et le Chevreau ; La Mort et le Bûcheron ; La Mort et le Malheureux ; Les Obsèques de la Lionne ; Les Poissons et le Berger qui joue de la flûte ; Le Renard ayant la queue coupée ; Le Renard et le Bouc ; Le Savetier et le Financier ; Le Testament expliqué par Ésope* et *Le Villageois et le Serpent.*

Les gouaches de Chagall pour les *Fables* jugées par la critique des années 1920-1930

Dès avant l'exposition des gouaches, en février 1930, qui lui permit de confier à MM. Josse et Gaston Bernheim-Jeune le soin d'exposer et de diffuser la totalité de la série, Ambroise Vollard rédigeait un article intitulé « De La Fontaine à Chagall », qu'il fit paraître le 8 janvier 1929 dans un grand quotidien du soir, *L'Intransigeant,* dans lequel il s'explique sur les raisons de son choix.

« En somme, me disais-je, ceux qui ont illustré les *Fables* n'en ont d'ordinaire retenu que tel ou tel de leurs mérites et parfois les plus secondaires. Ils n'ont vu en La Fontaine les uns qu'un aimable conteur d'anecdotes ; d'autres, l'observateur cruel de la comédie humaine ; ceux-ci, un esprit frondeur avec des dons de caricaturiste, dilettante, avec un fond de moralité bourgeoise ; ceux-là un auteur du pittoresque de la nature et des épisodes de la vie rurale, un satirique, un descriptif, un animalier. Chacun le rétrécissait, le ramenait exclusivement à l'un ou l'autre de ces points de vue, comme si l'on ne comprenait pas qu'il était tout cela ensemble et même quelque chose de plus.

« [...] C'est pourquoi j'ai cru qu'il était désirable et possible que l'on donnât de l'œuvre de La Fontaine une interprétation moins littérale, moins fragmentaire, qui fût, à la fois plus expressive et plus synthétique... et j'ajoute que cette transcription, c'est à un tempérament de peintre, c'est à un peintre doué d'imagination créatrice, et fertile en inventions colorées, qu'il faut la demander.

« "Soit, me dit-on. Mais quelle singulière fantaisie, ou plutôt quelle gageure, pour interpréter l'œuvre d'un génie si spécifiquement français, pour illustrer un Champenois, d'aller chercher un étranger ?"

« L'objection ne me surprend pas. Elle est trop naturelle pour que je ne me la sois pas faite moi-même. Mais elle ne m'a pas arrêté.
« [...] Et, tout de même, La Fontaine, pour en revenir à lui, ne connaît pas de frontière géographique. Il est devenu un génie universel dont le nom, et en tout cas l'influence, se retrouvent partout. Sait-on qu'en Russie, par exemple, dans la première moitié du XIXe siècle, Kryloff a traduit ou adapté la plupart des fables d'une façon si heureuse qu'il est devenu comme un fabuliste national, dont l'œuvre est classique dans les écoles où la plupart des élèves ignorent même l'existence de La Fontaine.
« [...] Bref, tout ce qu'il y a de spécifiquement oriental dans les sources du fabuliste, Ésope, les conteurs hindous, persans, arabes, voire chinois auxquels il a emprunté non seulement des thèmes, mais parfois jusqu'au cadre et à l'atmosphère de ses recréations, m'a amené à penser que, mieux que personne, pourrait en donner une transcription plastique appropriée un artiste à qui ses origines ont rendu familier et comme naturel ce prestigieux Orient.
« Et, si maintenant l'on me demande : "Pourquoi Chagall ?" Je réponds : "Mais, précisément, parce que son esthétique m'apparaît toute proche, et en un sens, apparentée à celle de La Fontaine, à la fois dense et subtile, réaliste et fantastique". »
Dans un ouvrage polémique, principalement nationaliste et xénophobe, qui se plaît à fustiger l'esprit moderne, *Le Cafard après la fête ou l'Esthétisme d'aujourd'hui*, paru fin 1929, Adolphe Basler consacre un chapitre à Vollard :
« Maintenant, Vollard accorde tous ses soins à ses belles éditions, illustrées par Picasso, Rouault, Derain, Segonzac, Chagall. C'est au dernier d'entre eux, à cet imagier de Vitebsk, qu'il a confié l'illustration de La Fontaine. Ce mécène, on le voit, manifeste partout son esprit ubuesque. Après l'"essai" qu'il vient de publier dans *L'Intransigeant* sous le titre "De La Fontaine à Chagall", souhaitons qu'il nous donne bientôt un "De Racine à Soutine" et "D'Homère à Rouault". »
D'autres critiques sont également sceptiques et peu convaincus par les arguments d'Ambroise Vollard :
« La Fontaine a simplement tué sous lui Chagall, comme il a fait déjà de tous ses illustrateurs. "Nul, à mon sens, écrit M. Vollard, ne s'était avisé de rendre ce qu'il y a d'évocateur en même temps que de

plastique dans cette comédie aux cent actes divers que sont les fables." Si j'entends bien, il aurait souhaité que Chagall cherchât non à représenter les *Fables* de La Fontaine, mais à en donner une impression en quelque sorte parallèle. Or Chagall ne l'a pas même tenté ; il a suivi la même voie que tous les autres : il a donné dans l'anecdote.
« [...] M. Vollard oublie-t-il qu'il n'existe pas dans la littérature française un auteur qui échappe plus généralement aux étrangers ? Le grand Goethe, qui aimait tant nos lettres, n'y comprenait rien du tout. Et lorsque M. Vollard, à propos des sources orientales du fabuliste, nous assure qu'il en a emprunté "non seulement les thèmes, mais parfois jusqu'au cadre et à l'atmosphère", je crois qu'il se moque de nous. Il ne m'apparaît pas, d'ailleurs, que Chagall ait eu le mauvais goût d'orientaliser La Fontaine. Mais son art conduit à une erreur plus grave encore. Sa stylisation en images simplifiées rapproche le fabuliste et de la féerie et de l'enfance, à laquelle il est depuis si longtemps en proie. Or s'il y a une atmosphère qui n'est ni féerique, ni enfantine, c'est bien celle de La Fontaine. Quand sa bonhomie est populaire, elle reste la bonhomie d'un peuple de vieux garçons raisonneurs, aussi peu crédules que possible, et qui ne mettent aucunement en doute la légitimité de leur civilisation.
« Bref, si j'avais le La Fontaine de Chagall, ce dont je serais ravi, je séparerais soigneusement les images du texte. » Pierre du Colombier, s'exprimant ainsi dans *Candide* (20 février 1930), juge que ces illustrations ne sont pas fidèles à l'esprit des *Fables* de La Fontaine.
Hubert Colleye, dans le journal anversois *La Métropole* (9 mars 1930), est du même avis :
« L'idée de confier à Marc Chagall le soin d'illustrer une édition des *Fables* revient à Ambroise Vollard. Idée louable en soi. Elle consiste à confier le texte d'un grand poète au pinceau d'un grand peintre. Idée funeste, néanmoins, dans le cas présent. Car Chagall ne se meut pas sur le même plan que La Fontaine.
« [...] On sait bien que La Fontaine est universel. C'est même pour cela qu'on l'appelle classique. Or, Chagall n'est pas classique. Il est même tout le contraire d'un classique. Chagall est slave. Encore n'exprime-t-il qu'une des faces de l'âme slave, ce goût du bariolé, du voyant, du clinquant, qui produit une certaine musique et une certaine peinture. Jadis nous appelions cela du romantisme. Mais le mot ayant été accaparé

par les professeurs, force nous est d'inventer d'autres vocables. Il ne viendra cependant à l'esprit de personne d'affubler Chagall de l'épithète de classique, c'est-à-dire d'universel. Ce peintre judéo-russe est tout le contraire d'un universel. Il est un des maîtres du pittoresque, un visuel, dont la rétine est tachée de rouge, de vert et de jaune. Chagall sacrifie tout à la tache – comme un vulgaire impressionniste – et à un canon déformateur issu de l'imagerie populaire. Mais il ne sacrifie rien à l'idée. Quand il lui vient une idée, c'est une pirouette, un trait d'humeur ou une drôlerie, non une idée véritable née d'une conjonction du cerveau et du cœur. Alors ? Alors, que voulez-vous que je vous dise ? Je n'ai pas reconnu La Fontaine dans l'image qu'en propose Chagall. [...] Ce que Chagall nous propose, en cent gouaches, ce sont les *Fables de Chagall*. La Fontaine, de Château-Thierry et de partout, n'en fut que le prétexte. Car le Russe ne transcrit ni commente le français : il le dénature à la russe.
« [...] Nous entrons, à la suite de Chagall, dans le domaine de la fantaisie Chagall. Cette fantaisie, il ne l'a, semble-t-il, empruntée à personne, sinon au fond même de son atavisme oriental. C'est de la barbarie qui s'exprime en raffinements de couleur. L'enfilade de ces gouaches extraordinaires produit un effet de bariolage éblouissant. [...] J'avoue avoir passé un bon moment devant cette œuvre qui me paraît constituer une des plus pures récréations de l'œil. Mais elle ne va pas au-delà. C'est de la peinture pure. »
Dans le même registre, mais avec un ton plus venimeux encore et des allusions antisémites plus clairement exprimées, Arsène Alexandre, dans le *Figaro* du 17 février 1930, rend compte des impressions de sa visite chez Bernheim-Jeune :
« Puisqu'il est question d'illustrateurs, en voici un assez bizarrement occupé, que l'on peut voir chez Bernheim-Jeune.
« L'on a eu l'étrange idée de s'adresser à M. Marc Chagall pour illustrer les *Fables* de La Fontaine. Il se trouvera des gens faciles à persuader pour crier à la merveille. En réalité, jamais mariage n'a fait éclater une telle incompatibilité d'humeurs. Ces fantaisies cahotées, cette couleur hurlante auraient fait penser au Bonhomme que ses œuvres étaient parvenues – si même il les avait reconnues – jusque chez les Samoyèdes ou les Topinambous.

« En réalité, de très bons artistes français ont échoué dans la tâche ardue, et inexcusable sans réussite, d'illustrer les *Fables*. Gustave Doré lui-même et Grandville n'y ont guère triomphé ! La meilleure façon d'illustrer La Fontaine, c'est de le lire dans de belles impressions. M. Marc Chagall a peiné sur de pénibles et outrées conceptions. Il n'était pas préparé par son tempérament à s'attaquer à aussi fine et délicate besogne.
« Lui-même en a fait l'aveu inconscient à celui qui écrit ces lignes.
« Un de ces zélés présentateurs, comme il s'en trouve, nous avait confrontés dans quelque exposition. Comme je déclarais à M. Chagall que tout en appréciant certaines de ses qualités de couleur, mais que ses conceptions étaient pour nous assez peu équilibrées, il me répondit avec quelque condescendance dans l'ironie, ou quelque ironie dans la condescendance, je ne saurais préciser : "C'est que vous êtes un Latin." Peut-être voulait-il même dire : "Vous n'êtes qu'un Latin."
« Mais voilà, La Fontaine était un Latin et le plus parfait de tous. Cela explique pourquoi il vaudra mieux ne pas confier l'illustration du théâtre de Racine, ou les *Nuits* de Musset à quelque maître éclos sous une trop lointaine latitude. »

Onze ans plus tard, avec le recul, alors que Vollard est mort dans des circonstances dont certains s'inquiètent, alors que la galerie Bernheim-Jeune a été contrainte de fermer ses portes par ordre des nazis et que sa collection a été enlevée et détournée vers l'Allemagne, alors que Chagall est sur le point de devoir quitter la France, il est enfin possible de tirer « sereinement » le bilan des années 30. C'est ce à quoi s'emploie Robert Rey, alors inspecteur à la Création artistique, dans *La Peinture moderne ou l'Art sans métier*, parue aux Presses universitaires de France en 1941 :
« Le foisonnement de toutes les "écoles", de tous les "groupes" et de tous les "salons" fit de Paris, aussitôt après 1918, une sorte de kermesse, ou plutôt de bourse de la Peinture. Du monde entier accoururent des "génies" ou des "candidats génies". Une spéculation effrénée se déchaîna, suscitant des valeurs fictives, effondrant des valeurs réelles. Une coulisse frénétique de marchands, d'amateurs faiseurs de contrats, de critiques à gages s'affairait. Et, par contraste avec cette agitation,

la masse populaire demeurait lointaine, lointaine comme jamais. Le mot "Paris" étant l'estampille de ce marché, on créa une "École de Paris".
« Le très singulier de l'affaire, c'est que la presque totalité des membres de cette école était des peintres ou des sculpteurs étrangers et sémites. Tous n'étaient point sans talent, il s'en faut. Mais ils "n'éprouvaient pas", ils n'écrivaient pas en français. En sorte que l'étrangeté de leurs réactions contribuait encore au désarroi des pensées.
« Certain grand marchand-éditeur (qui, d'ailleurs, s'était trouvé seul jadis, ou presque seul, à acquérir des toiles de Gauguin, de Cézanne, des fauves) prépara une édition des *Fables* de La Fontaine. Et, pour illustrer le plus cartésien et le plus lucide des poètes, il choisissait un juif slave dont l'art consistait, à travers un désordre séduisant de couleurs empruntées à l'imagerie populaire orientale, à suggérer d'exubérantes lévitations.
« Expériences qui eussent pu avoir leur intérêt dans un musée d'ethnographie contemporaine, mais qui ne pouvaient que désaxer le public. Ce public, il est vrai, se défendait d'instinct, par l'indifférence ou le sarcasme. Il n'en était pas moins troublé et, disons le mot, démoralisé par les éclaboussements colorés et les violentes divagations de cette École de Paris qui ne comportait pratiquement pas un Parisien ; que dis-je ! Pas un Français ! »

Pourtant la plupart des critiques font leur travail et ne se laissent pas emporter par ces « opinions ». Nombreux sont ceux qui s'enthousiasment pour les gouaches de Chagall. Jacques Guenne y a eu accès en *preview* et décrit dans *L'Art vivant* du 15 décembre 1927 ces illustrations comme étant l'une des réalisations les plus étonnantes de l'époque :
« Un jour, un homme qui aime la peinture avec passion et qui regarde le monde avec une extrême malice, M. Vollard, a eu cette stupéfiante idée de demander à Chagall de peindre une centaine de gouaches en marge des *Fables* de La Fontaine.
« Dès que ce projet fut connu, des esprits bien-pensants s'indignèrent : "Faire *illustrer* La Fontaine, ce poète essentiellement français, par un Russe, et par Chagall, quel sacrilège !" "Eh quoi ! La Fontaine n'a-t-il pas emprunté ses *Fables* à Ésope, qui n'est pas latin, que je sache ?" eut la sagesse de répondre M. Vollard.

« Chagall s'est mis à l'ouvrage. Et, une fois de plus, il a prouvé que son imagination est assez agile pour se délivrer de l'emprise du sujet, même quand celui-ci est tracé dans ses plus subtils détails ; aussi a-t-il bien moins "illustré" les *Fables* que créé à leur propos, avec l'humour le plus délicat, une série d'images qui, réunies aujourd'hui, constituent un monde agité par tous les vices, par tous les désirs, par toutes les faiblesses, par toutes les envies dénoncées par le fabuliste, mais un monde imaginé par un peintre et à qui la seule couleur sert de moralité.
« Je ne crois pas qu'il soit possible de résister à l'hallucinante emprise de cette suite prodigieuse, qui sera une révélation pour ceux qui, familiers de l'œuvre de Chagall, ne doivent pas, comme moi-même, à l'obligeante amitié de M. Vollard d'avoir pu l'admirer.
« Un exemple entre cent. Tous les illustrateurs commentant *Le Renard et les Raisins* se sont appliqués à suivre la lettre de la fable. Ils ont figuré le renard, sans négliger un de ses poils, debout contre la treille et cherchant vainement à atteindre les raisins. Or, voici ce qu'a imaginé Chagall : il a peint deux choses : tout en bas de la toile, à droite, la tête du renard, je veux dire ses yeux, et tout en haut une grappe splendide, une grappe de couleur dont on imagine la succulence, la fraîcheur, l'éclat... Et entre la grappe et la tête de l'animal, fier mais désespéré, il a laissé ce ciel de beauté que nous trouvons toujours entre nos désirs et nos rêves.
« Jamais les mots ne pourront évoquer le lion amoureux, ce lion "de haut parentage", si magnifique et si tendre, si gracieusement dressé contre sa tendre amie, l'oiseau blessé d'une flèche et qui s'écroule dans le désordre de ses ailes bleues, le geai que Chagall rend si ridicule en lui prêtant les couleurs du plus brillant coloriste, alors qu'il revêt le paon de ses propres couleurs, le charlatan vêtu d'une inconcevable robe rouge et qui, devant son studieux élève, cet âne absurde si sagement assis, atteste de son doigt levé la hauteur de sa science, les deux pigeons si tendres et dont les becs s'unissent dans une nuit de légende.
« Devant cette série de gouaches, dont pas une ne ressemble à la précédente, ni par la couleur ni par l'inspiration, on cherche en vain ce qu'on doit le plus admirer, ce splendide ruissellement où se mêlent les rouges fulgurants, les noirs opaques, les verts acides, les jaunes opulents, les mauves radieux, la prodigieuse alchimie que révèle l'examen de la moindre surface de ces images, ou la fabuleuse invention et la touchante

gentillesse de cet esprit. Peut-être faudrait-il surtout révéler ce miracle qui fait de la couleur de Chagall l'état de grâce de son inspiration. »
Marcel Schmitz, dans *XXe Siècle*, de Bruxelles (9 mars 1930), admire également les couleurs éclatantes de Chagall, ces couleurs qui expriment à elles seules le contenu de la fable :
« Le mot a déjà été prononcé, mais il faut le redire. Cette traduction est un enchantement. Ces cent aquarelles éblouissantes nous happent et nous projettent en un tournemain au cœur même de la fable.
« [...] Qui n'a songé à illustrer ces petites merveilles ! Qui ne l'a fait ? Les plus grands illustrateurs s'y sont essayés et pourtant il semble que celui-ci seul ait vraiment réussi à franchir le seuil de ce royaume de fantaisie, et de vérité, à s'y installer comme chez lui, à en traduire non seulement la malice, mais l'humanité.
« [...] Et de même que l'art délicieux et évasif du grand fabuliste ne nous laisse entrevoir que les lignes générales du décor, assez pour l'imaginer, mais sans plus, de même celui de Chagall se contente de créer l'atmosphère, l'atmosphère d'une FABLE ! Car il faut que chaque chose en ait une. Et si pour l'exprimer il a choisi les couleurs, les couleurs et rien que les couleurs, c'est que les lignes eussent pu trahir son dessein, situer inutilement la scène dans l'espace et dans le temps, l'emprisonner dans une époque.
« Ces traductions des *Fables* de La Fontaine, elles sont russes, nous direz-vous. Sans doute, et il fallait que Chagall fût russe, et par là quelque peu oriental, pour qu'une telle luxuriance de tons soit possible, pour que ruisselle sur nous et s'éparpille en éclaboussements cette avalanche de couleurs à l'état pur, avec une fougue qui n'est pas sans rappeler le lyrisme sensuel des strophes du *Cantique des cantiques*.
« [...] Cette poésie de Chagall, cette poésie faite de couleurs n'étonne que les esprits prévenus. À tous autres, au contraire, elle est parfaitement accessible. C'est le vrai climat de la fable, à mi-chemin de la réalité et du rêve.
« [...] Les meilleures de ces images ? Il n'en est point. Elles sont toutes égales en perfection. Chagall en a dessiné cent. Il eût pu en tracer le double. Elles forment un ensemble incomparable, unique et qu'il faut aller voir, avant qu'elles ne soient dispersées. Paris les a eues, Bruxelles les a. Après ce sera Berlin.

« Qui voudra les revoir ensuite devra aller quêter de porte en porte. Vollard en prépare une édition, mais en eaux-fortes. C'est la nuit à côté du jour.
« Ces petits chefs-d'œuvre ne vivent que par la couleur. Il eût fallu qu'un musée les accueille. »
René Schwob, dans le numéro 4 des *Cahiers d'art* de 1928, souligne également l'importance de la couleur, mais aussi la complicité, le lien qui s'établit entre la poésie de La Fontaine et la peinture de Chagall :
« L'univers des *Fables* de Chagall est un univers de contes de fées où les êtres ne vivent que par le mystère d'un complot de couleurs ; comme celui de La Fontaine évite toute pesanteur grâce à l'insertion d'un monde dans un autre dont des mots délicieux composent l'unité.
« La peinture et la poésie se rejoignent ainsi, moins par la transposition d'une réalité littéraire sur le plan de la plastique que d'une certaine légèreté d'âme et de technique en une technique différente. »

Et enfin, André de Ridder, dans *Variétés* (15 février 1930), met l'accent sur l'univers nouveau, la vision complètement renouvelée que nous offre Chagall des *Fables* de La Fontaine :
« Si l'on est étonné, peut-être scandalisé, dans certains milieux – pour le principe, pourrait-on dire – de voir M. Ambroise Vollard charger Chagall de la suite de cent lithographies pour illustrer les *Fables* de La Fontaine, maintenant que l'œuvre est achevée, l'on ne pourra que se réjouir (espérons-le !) de cette initiative. Elle nous aura dotés d'une des réalisations les plus curieuses de l'art dessiné et gravé de notre temps.
« [...] Chez La Fontaine, il y a un élément “peuple”, au surplus fort rare, quasi unique au XVIIe siècle, fait de gaudriole, de satire, de pittoresque, d'indépendance, très savoureux, presque impertinent, que Chagall n'a pas eu tort d'accentuer. Il y a encore chez lui un élément de fantaisie, et qui lui permet de prendre bien des libertés avec son personnel allégorique, emprunté à une faune et une flore, à tout un petit univers familier des plus imagés, fort libre voire libertin, que Chagall a eu tout autant raison de mettre en lumière. Aussi bien étaient-ce là, dans l'œuvre de La Fontaine, deux des facteurs que le grand artiste russe était en quelque sorte prédestiné, par sa nature, à comprendre le mieux et qu'aucun artiste français n'aurait vraisemblablement été à même de

saisir sur le vif de cette façon-là, délurée, caustique, fantastique surtout. Si ces *Fables* de La Fontaine, ainsi interprétées par Chagall, ne répondent peut-être pas entièrement à la conception qu'un artiste latin, plus conservateur, plus attaché à la tradition classique, aurait pu nous en révéler, elles présentent l'avantage d'une vision renouvelée du tout au tout, débarrassée de ses contingences d'époque, ramenée à un fond d'humanité et de légende – mi-réalité, mi-rêve – qui leur confère une vie toute fraîche, un allant, un entrain, un pouvoir d'évocation prodigieusement saisissants. Nous sortons, en quelque sorte, du domaine de la littérature didactique pour pénétrer dans celui de la poésie. Et je suis tout assuré que si l'un convient parfaitement aux commentateurs, aux historiens, qui en ont fait leur fief, l'autre pourrait bien être celui où La Fontaine, s'il pouvait nous faire entendre sa voix, aurait plaisir à s'engager à nouveau, en compagnie de son ami en sortilèges et en beaux mythes, le peintre de Vitebsk, celui en lequel il reconnaîtrait aussi, soudain épuré, quintessencié, l'univers qu'il s'était proposé d'évoquer pour l'amusement autant que pour l'édification des trop sages écoliers, petits et grands, de la France de Louis le Grand.
Quant à nous, ne suffit-il point que nous découvrions dans ces illustrations, sinon la lettre, à coup sûr l'esprit des *Fables ?* »

Chagall illustrateur des *Fables* de La Fontaine ou Comment quitter la Russie et devenir français

Curiosité de l'historien mise à part, que nous importe, après tout, la réception qu'une œuvre put rencontrer auprès du public et de la critique, au moment de sa création, dès lors que notre sensibilité contemporaine se plaît à la (re)découvrir ?

On adhérera à certains jugements anciens ; d'autres révolteront : ceux qu'inspire davantage la haine antisémite que l'exercice de la critique artistique. Mais, expressions, le plus souvent, de l'air du temps (de leur temps), n'auraient-ils de sens qu'anecdotique ou circonstanciel, sans utilité pour l'édification de notre discernement ?
Pourtant, c'est bien l'ampleur de la polémique, dont on aura lu les échos dans les pages qui précèdent, se conjuguant à une cascade de fâcheux concours de circonstances frisant la malédiction qui sont à l'origine de l'abandon de l'intention éditoriale de départ... et de la difficulté à l'évoquer, soixante-cinq ans plus tard.

À la fin des années 1920, l'annonce qu'Ambroise Vollard confiait à Chagall le soin de réaliser cent gouaches pour illustrer une édition des *Fables* de La Fontaine provoqua plus de sarcasmes que d'enthousiasme. Les conditions d'accueil du projet, puis les difficultés techniques de reproduction en couleurs de ces gouaches, aggravées par la rapide et hétérogène dispersion de la série, conspirèrent au point de la reléguer au chapitre des chefs-d'œuvre inconnus, inaccessible gisement où se côtoient toutes ces œuvres dont on a entendu parler mais que l'on n'a jamais vues. La carrière de Chagall a connu une autre aventure du même ordre avec la (re)découverte récente de ses décorations murales pour le Théâtre juif de Moscou, qui n'étaient connues que par les dessins préparatoires que Chagall avait conservés, et par de mauvaises photographies en noir et blanc. Leur présentation sur la scène internationale, entamée en 1989 à la Fondation Gianadda, qui s'achève cette année au musée d'Art moderne de la Ville de Paris avant qu'elles ne retournent à la galerie Trétiakov de Moscou, a bouleversé la perception du Chagall des années russes. C'est sans doute là le destin de l'œuvre d'un artiste qui, avant de s'imposer mondialement, vécut (et, avec lui, son œuvre) les heurs et les malheurs des déracinements et des émigrations.

Dans la vie et l'imaginaire de Chagall, la place qu'occupe cette série destinée aux *Fables* réside justement dans sa propre volonté de s'inscrire, au moment où il les réalise et grâce à ce qu'elles traduisent, comme un artiste « coupant les ponts », s'insérant définitivement dans une réalité sociale et culturelle nouvelle pour lui, la France.
Comme on l'a lu dans les pages qui précèdent, l'accueil ne fut pas unanimement chaud...
Les critiques, bonnes ou mauvaises, ne constituent que la trace apparente de cette œuvre. Qu'en est-il des conditions de sa réalisation ?
Chagall n'était alors de retour en France que depuis deux ans et demi. Son départ de Russie, en 1922, son passage par la Lituanie avant qu'il n'atteigne Berlin, où il consacre son séjour, jusqu'à l'automne 1923, à tenter d'apurer la situation de ses œuvres confiées, avant guerre, au marchand-éditeur Herwarth Walden, à renouer des liens avec d'autres exilés, mais au cours duquel, également, il expose et, surtout, avec Cassirer, s'initie aux techniques de la gravure qu'il met sur-le-champ à l'épreuve en illustrant *Ma vie,* sa poétique autobiographie – il a trente-cinq ans ! –, sont autant d'expériences, de celles qui s'accumulent dans la transition. À l'instigation de Blaise Cendrars, Chagall arrive à Paris en septembre 1923 où, encore tout imprégné de ce retour sur soi dont *Ma vie* est l'objet, il entreprend la première commande que lui passe Ambroise Vollard. Il s'agit d'illustrer

Les Âmes mortes, de Gogol, évocation monumentale de la Russie traditionnelle. Il s'y consacre passionnément, comme pour conjurer ses souvenirs de la fuite en avant de la Russie nouvelle, qu'il a été contraint de quitter tant il se sentait impuissant à y assister. Parallèlement à ce travail d'illustration d'un texte littéraire, auquel il se livre pour la première fois – démarche bien différente des créations de décors qui lui furent commandées à Moscou –, et comme profondément aiguillonné par lui, Chagall reprend certaines compositions antérieures et, parmi elles, plus volontiers des peintures de la première période parisienne (de 1910 : *Le Mort ;* de 1911 : *La Vache jaune, Moi et le Village ;* de 1912 : *Le Violoniste, La Prisée, Le Marchand de bestiaux*) que celles qu'il vient de réaliser en Russie (mis à part *Au-dessus de Vitebsk*). Il recrée, en quelques œuvres, le familier environnement pictural nécessaire à l'équilibre mental et au maintien de l'inspiration, mais, à la différence du premier séjour parisien (de 1910 à 1914), les débuts du second sont moins investis par un recours systématique et nostalgique aux souvenirs de la Russie quittée : le travail du deuil se réalise grâce aux *Âmes mortes*.
C'est donc dans un état de grande disponibilité intellectuelle et morale que Chagall accueille le second contrat de Vollard : les *Fables* de La Fontaine. Chagall avait été, jusqu'alors, l'inventeur formel d'une évocation de la vie et de la culture juives de la Russie d'avant la Révolution. Le souvenir d'enfance qui occupe et envahit une sensibilité, les récits entendus, l'histoire racontée, les légendes colportées à cheval sur deux langues (le russe et le yiddish) qui forgent l'image mentale et créent l'univers poétique personnel, la sociabilité qui régnait dans les quartiers juifs des villes de la zone de résidence, les péripéties d'un cercle familial solidaire, la découverte puis la mise à l'épreuve de l'état amoureux, enfin, avaient inspiré sa peinture.

Pour Chagall, illustrer les *Fables* de La Fontaine, ce sera tout autant la découverte d'un texte fondamental de la littérature française que l'introduction, dans son univers pictural, de la réalité du paysage français qu'il avait totalement ignorée lors de son premier séjour exclusivement parisien. En effet, en avril 1924, au cours du printemps qui suit leur arrivée à Paris, les Chagall se rendent à proximité de la baie de Somme, à Ault, puis, l'été, à Bréhat, en Bretagne. En 1925, ils vont fréquemment à L'Isle-Adam, chez les Delaunay, et, par l'intermédiaire du critique Florent Fels, louent,

à l'automne, une maison à Montchauvet, près de Septeuil. En 1926, l'année où Chagall entame les gouaches des *Fables*, il séjourne, avec son épouse Bella et leur fille Ida, à Mourillon, près de Toulon, d'où il découvre Nice et la Côte d'Azur, puis, l'été et l'automne, en Auvergne, au lac de Chambon. La première partie de l'année 1927 se passe à Paris, où Vollard introduit Chagall chez Rouault, Bonnard, Vlaminck et Maillol ; le peintre se lie avec Tériade et Zervos, directeur des *Cahiers d'art*, qui lui fait rencontrer Picasso. De mai à septembre 1927, les Chagall séjournent à Châtel-Guyon, puis, en novembre, avec Delaunay, dans la puissante automobile de ce dernier, Chagall découvre les Pyrénées-Orientales (Collioure et Banyuls), en passant par Montauban et Albi. L'année s'achèvera dans les environs de Chamonix.
Voilà pour les décors nouveaux qui imprègnent la sensibilité de Chagall et qu'il réutilisera dans ses gouaches. Pour le texte, il faut, sans doute, subodorer qu'à cette date sa maîtrise de la langue française n'est pas parfaite, s'agissant *a fortiori* de celle de La Fontaine. On ignore totalement comment furent choisies les fables qui allaient être illustrées, mais on sait comment Chagall en prenait connaissance : « C'est Mme Chagall qui les lit à haute voix lorsqu'il est au travail, mais Chagall l'arrête toujours à la moralité : "Ça, ce n'est pas pour moi", dit-il », révéla Pierre Courthion en 1929. Toujours est-il que certaines d'entre elles, constituant traditionnellement le fonds culturel commun ne furent pas retenues lors de ces lectures familiales : *La Cigale et la Fourmi*, *Le Rat des villes et le Rat des champs*, *Le Laboureur et ses Enfants*, *Le Lièvre et la Tortue*,
Chagall commença à les livrer à Vollard dès le printemps 1926 : cinq en avril, trois en mai, quatre en juin et dix-neuf en octobre après le séjour au lac de Chambon. En janvier 1927, il en remet cinq, quarante en février, quinze en juin et vingt-neuf en novembre : l'hiver parisien et l'été auvergnat auront été prolifiques, avant l'échappée belle en Catalogne.
Tout un chacun aura pu faire le compte : c'est bien pour cent vingt gouaches qu'en dix-neuf mois Vollard établit des reçus au profit de Chagall, correspondant à un prix unitaire de 1 000 ou 2 000 francs par gouache, dont le total s'élève à 192 000 francs[1]. L'on apprend, en outre[2], qu'en trois remises successives, dont deux seulement sont datées (décembre 1929, quelques semaines avant l'exposition), Vollard vend cent quarante-six gouaches à la galerie Bernheim-Jeune, moyennant un prix unitaire de 4 000 francs[3].

Parallèlement et insérant dans la période (de mi-1927 à fin 1929) de ces démarches concernant les seules gouaches – dont le nombre, fluctuant selon les sources, trahit, en tout état de cause, que Chagall en peignit plus que les cent exposées ensuite chez Bernheim-Jeune – s'engage, d'une part, le processus de réalisation de l'édition en couleurs puis, son échec constaté, la gravure des planches qui devait permettre le tirage des eaux-fortes originales. On est désormais en mesure de reconstituer les grandes lignes de la chronologie de cette aventure éditoriale : dans une lettre à Chagall[4], datée du 23 avril 1930, Louis Fort, imprimeur d'art, qui se plaint de ne pas avoir été payé, indique : « J'ai passé deux ans sur ce travail. » On peut donc situer au début de l'année 1928, c'est-à-dire quelques semaines après la remise des dernières gouaches, l'engagement du premier projet éditorial, mais on ne sait à quelle date ces quatre-vingt-dix-neuf premières planches sont achevées. La seconde réalisation, celle des eaux-fortes, conduite par Maurice Potin, donne lieu, en tout cas, à une première livraison, par Chagall à Vollard, de douze planches (moyennant 3 000 francs le cuivre) le 3 avril 1929. Sept autres livraisons suivront, à 3 500 francs la planche, jusqu'au 20 juillet 1931, où quatre-vingt-deux planches auront été réalisées, d'après les archives Vollard conservées par les Musées nationaux[5]. Ainsi, lorsque s'ouvre, chez Bernheim-Jeune, en février 1930, l'exposition des gouaches, un tiers seulement des planches a été gravé.
Quant à la revendication du premier graveur, Louis Fort, elle donne lieu à une consultation juridique anonyme et extrêmement offensive[6] datée du 25 mai 1930 puis, semble-t-il, à un règlement, puisque Louis Fort avise Vollard, le 17 juillet 1930, que quatre-vingt-quatorze planches sont prêtes et à sa disposition[7].
Six mois avant la remise, par Chagall, des dernières planches gravées par Potin, Vollard, désabusé, répond à l'éditeur Demotte, qui lui proposait ses services, que l'édition est reportée *sine die*[8].
Cette aventure avait pourtant commencé sous les meilleurs auspices : au cours de l'année 1927, alors que Chagall avait réalisé la moitié des gouaches, le succès de ses expositions précédentes[9] et sa notoriété grandissante l'avaient amené à conclure un contrat d'exclusivité avec l'une des plus prestigieuses galeries de Paris, Bernheim-Jeune. C'est en vertu de ce contrat et des liens qui unissaient la galerie à Ambroise Vollard qu'y fut prévue l'exposition des gouaches. Malheureusement, quelques semaines

avant qu'elle n'ouvrît, en février 1930, le krach boursier de Wall Street avait contraint Bernheim-Jeune à rompre avec Chagall...
Y eut-il, comme la littérature chagallienne l'indique depuis près de quarante ans, une interpellation parlementaire pour protester contre le projet ? Le dépouillement des archives des débats des Chambres n'en porte pas la trace, mais le long article de Vollard, dans *L'Intransigeant*, libéral quotidien du soir, une année exactement avant l'exposition, qu'il reprend pour l'essentiel comme préface du catalogue, en le dotant d'un titre en forme de manifeste ou de proclamation (« J'édite les *Fables* de La Fontaine et je choisis Chagall comme illustrateur ! »), rapporté aux cinq malheureuses lignes qu'il consacre à l'entreprise dans ses *Souvenirs d'un marchand de tableaux*[10], en disent long, à eux seuls, sur le désenchantement qui fit suite à son batailleur enthousiasme.
Est-ce là le signe que la gouache qu'il conserva et que son fils donna au musée de son île natale est celle qui accompagne *Le Corbeau voulant imiter l'Aigle ?*
S'interroger sur les motivations des premiers acheteurs est particulièrement difficile, les archives des galeries n'étant pas accessibles, mais permet, du moins, d'entamer une première analyse des œuvres elles-mêmes. Celle-ci s'appuie sur un corpus limité (moins de la moitié des œuvres de la série), mais autorise à considérer que, dans tous les cas, Chagall s'est astreint à «coller» au plus près du récit porté par le texte. Le prenant en considération dans son ensemble, ou isolant un moment de l'action, il ne s'est, en effet, jamais attaché à caractériser les postures ni les situations selon ce que les morales des *Fables* induisent quant à la psychologie des personnages, humains ou animaux. Dans un seul cas, l'illustration est décalée par rapport au signifié de la fable : dans *La Chatte métamorphosée en femme*, rien n'indique, chez La Fontaine, l'état profondément nostalgique dans lequel l'hybride de Chagall, pensivement accoudé sur un guéridon, semble plongé. C'est, en outre, la seule illustration où se pose le problème de l'anthropomorphisme : à la différence de bien des illustrateurs de La Fontaine, Chagall n'a nullement cherché à animaliser les humains ni à humaniser les animaux en créant cette sorte de communauté communicante qui est à la base du monde de La Fontaine. Avec Chagall, chacun est pris pour ce qu'il est mais en une symbiose où le côtoiement des uns avec les autres constitue un des horizons mêmes du projet chagallien, depuis les premières

œuvres russes : la coexistence entre les hommes et les animaux, ceux-ci étant porteurs d'un ailleurs social et de la part onirique de chacun. On constatera toutefois que Chagall pousse à l'extrême un des fondements de la rhétorique de La Fontaine : la confrontation entre la force brutale de l'infiniment grand et la fragilité du minuscule en ne représentant même pas l'infiniment petit. Dans *Le Rat et l'Éléphant*, le rat n'y est pas, mais c'est surtout à l'égard des grenouilles que Chagall marque une aversion presque systématique en les omettant dans *Le Soleil et les Grenouilles*, *Les Deux Taureaux et une Grenouille* et *Le Lièvre et les Grenouilles*... Mais la plongée dans la culture et dans la campagne françaises, dont cette série porte la marque, s'accompagne encore des traces de la Russie quittée. Cette propension à la réminiscence est, évidemment, une constante de l'œuvre de Chagall, un autre de ses horizons. Mais ici, fraîcheur de la mémoire ?, particulière capacité à la transposition ?, souvenirs des traductions de La Fontaine par Krylov ?, toujours est-il que de certaines gouaches transpire une atmosphère très russe : les deux filles de *La Vieille et les deux Servantes* rappellent les nus expressionnistes des gouaches des années 1911-1913. Dans *L'Âne et le Chien*, les deux paysans (qui ne sont nullement campés par La Fontaine) ont l'aspect de moujiks, tandis que la petite maison rouge entourée de palissade du *Pot de terre et le Pot de fer* évoque une isba des environs de Moscou. Quant à la silhouette de la cathédrale de Vitebsk se détachant sur la ligne d'horizon qui structure le paysage des grands tableaux de la seconde période russe (comme *La Promenade* ou *Au-dessus de la ville*), on la retrouve ici, ramenée à un humble clocher de village dans *Le Curé et le Mort* et dans *Le Meunier, son Fils et l'Âne*. Ces gouaches inscrivent la confrontation du ciel et de la terre dans le paysage. Elles sont construites sur le même mode que celles qui donnent à voir la mer – les premières vues maritimes dans l'œuvre de Chagall, qui n'en comportera pas beaucoup[11] ! – comme *Le Berger et la Mer*, évocation flagrante d'une Manche – souvenir d'Ault ? – où vogue un petit paquebot, irisée de reflets moirés, face à laquelle, pensif, le berger bâtit des châteaux en Espagne, ou *Le Chameau et les Bâtons flottants*[12], qui met en scène le même petit vapeur que précédemment. Les montagnes – là aussi, sans doute, les premières montagnes de Chagall – sont également représentées : pour *La Souris métamorphosée en fille*, une des fables les plus obscures et les plus tortueuses de La Fontaine, Chagall transcrit sa perception du texte en une peinture extraordinairement poétique, représentant une longue jeune fille, dont les lignes ondulantes se fondent dans un paysage de montagnes, aux cimes desquelles roulent de légers nuages : ici, où le sens lui importe peu, un seul vers fera la gouache. À ces compositions ouvertes répondent les gouaches aux fonds plus saturés, où les bleus dominent bien souvent en éclairant la composition. Est-ce la marque des presque deux années que Chagall consacra à la série, on est en tout cas frappé par l'extrême diversité, pour ne pas dire l'hétérogénéité, des techniques de mise en œuvre employées. Ayant tantôt recours à une matière épaisse, où la gouache est utilisée comme de l'huile tout en ménageant des transparences, tantôt à une matière très fluide révélant une rapidité et une efficacité d'exécution, insérant des *drippings* multicolores, comme dans *Le Rat et l'Éléphant*, pour suggérer l'orientale chatoyance du harnachement de l'animal, ou dans *Le Paon se plaignant à Junon*, où les couleurs de la queue de l'oiseau semblent envahir toute la gouache, ou encore dans *Le Lion et le Moucheron*, où les gouttes de peinture viennent figurer les nuages de poussière que soulève l'animal furieux. Cet ensemble réalisé pour les *Fables* de La Fontaine constitue donc comme une expérimentation, comme le laboratoire de tout le talent, déjà accumulé et à venir, qui fait des œuvres graphiques de Chagall la part de sa production la plus éclectique et la plus inventive. Cette série est à considérer comme une période à part entière. Elle recouvre une tranche de vie de l'artiste, comme on l'a vu, où son génie s'affirme à la mesure de sa notoriété grandissante, où son insertion sociale se réalise, où son art divise et, de ce point de vue, il convient d'observer que ç'aura été la seule occasion où sa production et sa position ont déclenché des attaques ouvertement antisémites. Mais c'est sur le plan plastique, surtout, qu'il convient de situer l'importance de ces gouaches : leur mise en œuvre chromatique, les inventions formelles qu'elles suscitent, la diversité de leurs traitements et de leurs manières, la liberté qu'elles révèlent dans la relation que Chagall établit avec un texte en font un ensemble unique, bien différent des séries inspirées du cirque ou illustrant la Bible qui viendront plus tard. Il y a là comme une parenthèse, où Chagall synthétise tout son savoir, dans lequel il ira, inlassablement, puiser jusqu'à la fin.

Didier Schulmann

1. Sources : archives privées Ambroise-Vollard. Données aimablement communiquées par Jean-Paul Morel, qui prépare une biographie de Vollard.

2. Sources : archives Vollard, bibliothèque et archives des Musées nationaux, palais du Louvre, dossier Chagall, cotes 47, 45 et 43.

3. Ces chiffres contradictoires procèdent du récolement de sources hétérogènes, glanées dans des fonds différents. Provenant de la mise bout à bout de reçus, ils ne sauraient induire des quantités définitives et formelles et ne constituent que des indications.

4. [Papier en-tête] Louis Fort/Impression artistique/289, rue Saint-Jacques/Paris
Paris, le 23 avril/mai 1930
Monsieur Chagall,
Monsieur Vollard, étant passé à mon atelier et ne m'ayant pas trouvé, a laissé une liste de vos planches que vous désirez reprendre. Laissez-moi vous dire qu'aucune planche de La Fontaine ne sortira de mon atelier avant de m'être payée. En plus du vernis et morsures, et même plusieurs remorsures, vous savez que toutes ces planches ont été gravées par moi, à part quelques traînées de vernis et un peu de papier de verre posé par vous, j'ai passé deux ans sur ce travail. Donc j'estime mon travail à 1 000 francs par planche, soit 99 000 francs. En me soldant cette somme, les planches seront à votre entière disposition.
Croyez, monsieur, à l'assurance de ma parfaite considération.
L. Fort
(Sources : archives privées Ambroise-Vollard. Correspondance aimablement communiquée par Jean-Paul Morel.)

5. Sources : *cf. supra*, cotes 46, 44, 41, 40, 39, 36, 35 et 27.

6. [Pelure dactylographiée, non signée]
Paris, le 25 mai 1930
Monsieur,
Vous me demandez que si devant les déclarations de M. F... affirmant que c'est lui qui a gravé de sa main les planches qui vous ont été vendues comme originales par M. C... vous pouvez exiger de celui-ci la restitution des sommes versées ? Certainement ces sommes vous seront restituées. Normalement pour mettre l'affaire en train il aurait fallu que vous tachiez d'amener M. F... à faire cette déclaration devant témoin, ou, ce qui serait encore préférable, qu'il vous écrive une lettre renouvelant ses accusations contre C... Armé de cette lettre vous pourrez alors déposer votre plainte. C... de son côté vous facilitera lui-même la chose car toute son attitude montre qu'il désire cette plainte pour pouvoir se disculper et attaquer à son tour F... En effet, il vous a fourni lui-même spontanément une première arme en vous envoyant la lettre qui lui a été écrite par F... et où il est accusé formellement d'avoir fait faire par un tiers les planches qu'il vous a vendues comme originales. De plus, par le commandement qu'il vous a fait d'avoir, sous peine de dommages-intérêts, à lui remettre à fin de terminaison toutes les planches que vous lui aviez commandées avec l'engagement pris originairement par vous que le tirage serait fait sous sa direction, il vous force à lui répondre, si l'imprimeur qui a les planches en main est obligé de répéter les termes de sa lettre à C... et par là de rendre public son accusation contre C... Cette publicité est la condition exigée par la loi pour que C... puisse poursuivre F... Le Juge d'instruction désignera des experts qui auront à déclarer si l'accusation de F... leur paraît juste et si les différentes manipulations qu'il a pu faire constituent bien des planches gravées de sa main. Votre situation à vous est parfaite.
Si les planches sont déclarées fausses vous avez la restitution des sommes versées avec des dommages-intérêts. Si, par contre, il est jugé que ces planches doivent être déclarées originales ce sera C... qui se retournera contre F... en lui demandant des dommages-intérêts pour le préjudice qui lui sera causé, préjudice en rapport avec la situation artistique qu'il occupe et le bruit qu'aura fait

la plainte dans la presse. Je ne parle pas des réquisitions que pourra prendre le Procureur de la République s'il est bien démontré que les planches ont bien été gravées par F... car celui-ci facilitait la fraude de C... dont les reçus qui vous ont été délivrés par lui portent « Planche faite de ma main » ; ce serait un peu la répétition de l'affaire Millet-Cazot. Il serait intéressant de savoir si F... vous a déjà envoyé sur les sommes que vous pouvez lui avoir versées des relevés de factures touchant ce même travail que vous lui avez donné.
(Sources : archives privées Ambroise-Vollard. Correspondance aimablement communiquée par Jean-Paul Morel.)

7. Sources : archives Vollard, bibliothèque et archives des Musées nationaux, palais du Louvre, dossier Chagall, cote 34.

8. Sources : archives Vollard, bibliothèque et archives des Musées nationaux, palais du Louvre, dossier Chagall, cote 33, correspondance du 13 janvier 1931.

9. En 1924 : galerie du Centaure à Bruxelles ; galerie Barbazanges-Hodebert à Paris. En 1925 : Kunstverein de Cologne ; galerie Aux-Quatre-Chemins, Paris ; galerie Ernst-Arnold, Dresde. En 1926 : The Reinhart Galleries, New York ; galerie Katia Granoff, Paris.

10. Publié en 1937.

11. *Cf.* « Chagall méditerranéen », cat. de l'exp., Fondation Goulandris, Andros, 1994.

12. Non reproduit.

LA FONTAINE
FABLES
Marc Chagall

LE CYGNE ET LE CUISINIER

Dans une ménagerie
De volatiles remplie
Vivaient le cygne et l'oison :
Celui-là destiné pour les regards du maître,
Celui-ci pour son goût; l'un qui se piquait d'être
Commensal du jardin, l'autre, de la maison.
Des fossés du château faisant leurs galeries,
Tantôt on les eût vus côte à côte nager,
Tantôt courir sur l'onde, et tantôt se plonger,
Sans pouvoir satisfaire à leurs vaines envies.
Un jour le cuisinier, ayant trop bu d'un coup,
Prit pour oison le cygne, et le tenant au cou,
Il allait l'égorger, puis le mettre en potage.
L'oiseau, prêt à mourir, se plaint en son ramage.
Le cuisinier fut fort surpris,
Et vit bien qu'il s'était mépris.
« Quoi ? je mettrais, dit-il, un tel chanteur en soupe!
Non, non, ne plaise aux dieux que jamais ma main coupe
La gorge à qui s'en sert si bien. »

Ainsi dans les dangers qui nous suivent en croupe
Le doux parler ne nuit de rien.

Le Cygne et le Cuisinier

LA PERDRIX ET LES COQS

Parmi de certains coqs incivils, peu galants,
Toujours en noise et turbulents,
Une perdrix était nourrie.
Son sexe et l'hospitalité,
De la part de ces coqs, peuple à l'amour porté,
Lui faisaient espérer beaucoup d'honnêteté :
Ils feraient les honneurs de la ménagerie.
Ce peuple cependant, fort souvent en furie,
Pour la dame étrangère ayant peu de respect,
Lui donnait fort souvent d'horribles coups de bec.
D'abord elle en fut affligée ;
Mais sitôt qu'elle eut vu cette troupe enragée
S'entre-battre elle-même, et se percer les flancs,
Elle se consola : « Ce sont leurs mœurs, dit-elle,
Ne les accusons point ; plaignons plutôt ces gens.
Jupiter sur un seul modèle
N'a pas formé tous les esprits :
Il est des naturels de coqs et de perdrix.
S'il dépendait de moi, je passerais ma vie
En plus d'honnête compagnie.
Le maître de ces lieux en ordonne autrement.
Il nous prend avec des tonnelles,
Nous loge avec des coqs, et nous coupe les ailes :
C'est de l'homme qu'il faut se plaindre seulement. »

La Perdrix et les Coqs

LA GRENOUILLE QUI SE VEUT FAIRE AUSSI GROSSE QUE LE BŒUF

Une grenouille vit un bœuf
Qui lui sembla de belle taille.
Elle qui n'était pas grosse en tout comme un œuf,
Envieuse s'étend, et s'enfle, et se travaille
Pour égaler l'animal en grosseur,
Disant : « Regardez bien, ma sœur ;
Est-ce assez ? dites-moi ; n'y suis-je point encore ?
– Nenni. – M'y voici donc ? – Point du tout. – M'y voilà ?
– Vous n'en approchez point. » La chétive pécore
S'enfla si bien qu'elle creva.

Le monde est plein de gens qui ne sont pas plus sages :
Tout bourgeois veut bâtir comme les grands seigneurs,
Tout petit prince a des ambassadeurs,
Tout marquis veut avoir des pages.

L'ÂNE CHARGÉ D'ÉPONGES ET L'ÂNE CHARGÉ DE SEL

Un ânier, son sceptre à la main,
Menait, en empereur romain,
Deux coursiers à longues oreilles.
L'un d'éponges chargé marchait comme un courrier ;
Et l'autre se faisant prier
Portait, comme on dit, les bouteilles :
Sa charge était de sel. Nos gaillards pèlerins,
Par monts, par vaux et par chemins,
Au gué d'une rivière à la fin arrivèrent,

La Grenouille qui se veut faire aussi grosse que le Bœuf

Et fort empêchés se trouvèrent.
L'ânier, qui tous les jours traversait ce gué-là,
Sur l'âne à l'éponge monta,
Chassant devant lui l'autre bête,
Qui voulant en faire à sa tête,
Dans un trou se précipita,
Revint sur l'eau, puis échappa ;
Car au bout de quelques nagées,
Tout son sel se fondit si bien
Que le baudet ne sentit rien
Sur ses épaules soulagées.
Camarade épongier prit exemple sur lui,
Comme un mouton qui va dessus la foi d'autrui.
Voilà mon âne à l'eau : jusqu'au col il se plonge,
Lui, le conducteur et l'éponge.
Tous trois burent d'autant : l'ânier et le grison
Firent à l'éponge raison.
Celle-ci devint si pesante,
Et de tant d'eau s'emplit d'abord,
Que l'âne succombant ne put gagner le bord.
L'ânier l'embrassait dans l'attente
D'une prompte et certaine mort.
Quelqu'un vint au secours : qui ce fut, il n'importe ;
C'est assez qu'on ait vu par là qu'il ne faut point
Agir chacun de même sorte.
J'en voulais venir à ce point.

L'Âne chargé d'éponges et l'Âne chargé de sel

LE LOUP ET L'AGNEAU

La raison du plus fort est toujours la meilleure :
Nous l'allons montrer tout à l'heure.

Un agneau se désaltérait
Dans le courant d'une onde pure.
Un loup survient à jeun, qui cherchait aventure,
Et que la faim en ces lieux attirait.
« Qui te rend si hardi de troubler mon breuvage ?
Dit cet animal plein de rage :
Tu seras châtié de ta témérité.
– Sire, répond l'agneau, que Votre Majesté
Ne se mette pas en colère ;
Mais plutôt qu'elle considère
Que je me vas désaltérant
Dans le courant,
Plus de vingt pas au-dessous d'Elle,
Et que par conséquent, en aucune façon,
Je ne puis troubler sa boisson.
– Tu la troubles, reprit cette bête cruelle,
Et je sais que de moi tu médis l'an passé.
– Comment l'aurais-je fait si je n'étais pas né ?
Reprit l'agneau, je tette encor ma mère.
– Si ce n'est toi, c'est donc ton frère.
– Je n'en ai point. – C'est donc quelqu'un des tiens :
Car vous ne m'épargnez guère,
Vous, vos bergers, et vos chiens.
On me l'a dit : il faut que je me venge.»
Là-dessus, au fond des forêts
Le loup l'emporte, et puis le mange,
Sans autre forme de procès.

Le Loup et l'Agneau

L'HOMME ET SON IMAGE

Pour M. L. D. D. L. R.

Un homme qui s'aimait sans avoir de rivaux
Passait dans son esprit pour le plus beau du monde.
Il accusait toujours les miroirs d'être faux,
Vivant plus que content dans une erreur profonde.
Afin de le guérir, le sort officieux
Présentait partout à ses yeux
Les conseillers muets dont se servent nos dames :
Miroirs dans les logis, miroirs chez les marchands,
Miroirs aux poches des galands,
Miroirs aux ceintures des femmes.
Que fait notre Narcisse ? Il va se confiner
Aux lieux les plus cachés qu'il peut s'imaginer
N'osant plus des miroirs éprouver l'aventure.
Mais un canal, formé par une source pure,
Se trouve en ces lieux écartés ;
Il s'y voit ; il se fâche ; et ses yeux irrités
Pensent apercevoir une chimère vaine.
Il fait tout ce qu'il peut pour éviter cette eau ;
Mais quoi, le canal est si beau
Qu'il ne le quitte qu'avec peine.

On voit bien où je veux venir.
Je parle à tous ; et cette erreur extrême
Est un mal que chacun se plaît d'entretenir.
Notre âme, c'est cet homme amoureux de lui-même ;
Tant de miroirs, ce sont les sottises d'autrui,
Miroirs, de nos défauts les peintres légitimes ;
Et quant au canal, c'est celui
Que chacun sait, le livre des Maximes.

L'Homme et son Image

LE LOUP ET LA CIGOGNE

Les loups mangent gloutonnement.
Un loup donc étant de frairie,
Se pressa, dit-on, tellement
Qu'il en pensa perdre la vie.
Un os lui demeura bien avant au gosier.
De bonheur pour ce loup, qui ne pouvait crier,
Près de là passe une cigogne.
Il lui fait signe, elle accourt.
Voilà l'opératrice aussitôt en besogne.
Elle retira l'os ; puis pour un si bon tour
Elle demanda son salaire.
« Votre salaire ? dit le loup :
Vous riez, ma bonne commère.
Quoi ! ce n'est pas encor beaucoup
D'avoir de mon gosier retiré votre cou ?
Allez, vous êtes une ingrate ;
Ne tombez jamais sous ma patte. »

Le Loup et la Cigogne

LES DEUX TAUREAUX
ET
UNE GRENOUILLE

Deux taureaux combattaient à qui posséderait
Une génisse avec l'empire.
Une grenouille en soupirait.
« Qu'avez-vous ? se mit à lui dire
Quelqu'un du peuple croassant.
– Et ne voyez-vous pas, dit-elle,
Que la fin de cette querelle
Sera l'exil de l'un ; que l'autre, le chassant,
Le fera renoncer aux campagnes fleuries ?
Il ne régnera plus sur l'herbe des prairies,
Viendra dans nos marais régner sur les roseaux,
Et nous foulant aux pieds jusques au fond des eaux,
Tantôt l'une, et puis l'autre, il faudra qu'on pâtisse
Du combat qu'a causé Madame la Génisse. »

Cette crainte était de bon sens.
L'un des taureaux en leur demeure
S'alla cacher à leurs dépens :
Il en écrasait vingt par heure.
Hélas ! on voit que de tout temps
Les petits ont pâti des sottises des grands.

Les Deux Taureaux et une Grenouille

L'OISEAU BLESSÉ D'UNE FLÈCHE

Mortellement atteint d'une flèche empennée,
Un oiseau déplorait sa triste destinée,
Et disait, en souffrant un surcroît de douleur :
« Faut-il contribuer à son propre malheur ?
Cruels humains, vous tirez de nos ailes
De quoi faire voler ces machines mortelles ;
Mais ne vous moquez point, engeance sans pitié :
Souvent il vous arrive un sort comme le nôtre. »
Des enfants de Japet toujours une moitié
Fournira des armes à l'autre.

LA CHATTE MÉTAMORPHOSÉE EN FEMME

Un homme chérissait éperdument sa chatte ;
Il la trouvait mignonne, et belle, et délicate,
Qui miaulait d'un ton fort doux.
Il était plus fou que les fous.
Cet homme donc, par prières, par larmes,
Par sortilèges et par charmes,
Fait tant qu'il obtient du destin
Que sa chatte en un beau matin
Devient femme, et le matin même,
Maître sot en fait sa moitié.
Le voilà fou d'amour extrême,
De fou qu'il était d'amitié.
Jamais la dame la plus belle
Ne charma tant son favori
Que fait cette épouse nouvelle
Son hypocondre de mari.
Il l'amadoue, elle le flatte ;
Il n'y trouve plus rien de chatte,

L'Oiseau blessé d'une flèche

Et, poussant l'erreur jusqu'au bout,
La croit femme en tout et partout,
Lorsque quelques souris qui rongeaient de la natte
Troublèrent le plaisir des nouveaux mariés.
Aussitôt la femme est sur pieds :
Elle manqua son aventure.
Souris de revenir, femme d'être en posture.
Pour cette fois elle accourut à point :
Car ayant changé de figure,
Les souris ne la craignaient point.
Ce lui fut toujours une amorce,
Tant le naturel a de force.
Il se moque de tout, certain âge accompli :
Le vase est imbibé, l'étoffe a pris son pli.
En vain de son train ordinaire
On le veut désaccoutumer.
Quelque chose qu'on puisse faire,
On ne saurait le réformer.
Coups de fourche ni d'étrivières
Ne lui font changer de manières ;
Et, fussiez-vous embâtonnés,
Jamais vous n'en serez les maîtres.
Qu'on lui ferme la porte au nez,
Il reviendra par les fenêtres.

La Chatte métamorphosée en femme

LE LIÈVRE ET LES GRENOUILLES

Un lièvre en son gîte songeait
(Car que faire en un gîte, à moins que l'on ne songe ?) ;
Dans un profond ennui ce lièvre se plongeait :
Cet animal est triste, et la crainte le ronge.
« Les gens de naturel peureux
Sont, disait-il, bien malheureux ;
Ils ne sauraient manger morceau qui leur profite.
Jamais un plaisir pur, toujours assauts divers :
Voilà comme je vis : cette crainte maudite
M'empêche de dormir, sinon les yeux ouverts.
Corrigez-vous, dira quelque sage cervelle.
Et la peur se corrige-t-elle ?
Je crois même qu'en bonne foi
Les hommes ont peur comme moi. »
Ainsi raisonnait notre lièvre
Et cependant faisait le guet.
Il était douteux, inquiet :
Un souffle, une ombre, un rien, tout lui donnait la fièvre.
Le mélancolique animal,
En rêvant à cette matière,
Entend un léger bruit : ce lui fut un signal
Pour s'enfuir devers sa tanière.
Il s'en alla passer sur le bord d'un étang.
Grenouilles aussitôt de sauter dans les ondes,
Grenouilles de rentrer en leurs grottes profondes.
« Oh ! dit-il, j'en fais faire autant
Qu'on m'en fait faire ! Ma présence
Effraie aussi les gens, je mets l'alarme au camp !
Et d'où me vient cette vaillance ?
Comment ! des animaux qui tremblent devant moi !
Je suis donc un foudre de guerre ?
Il n'est, je le vois bien, si poltron sur la terre
Qui ne puisse trouver un plus poltron que soi. »

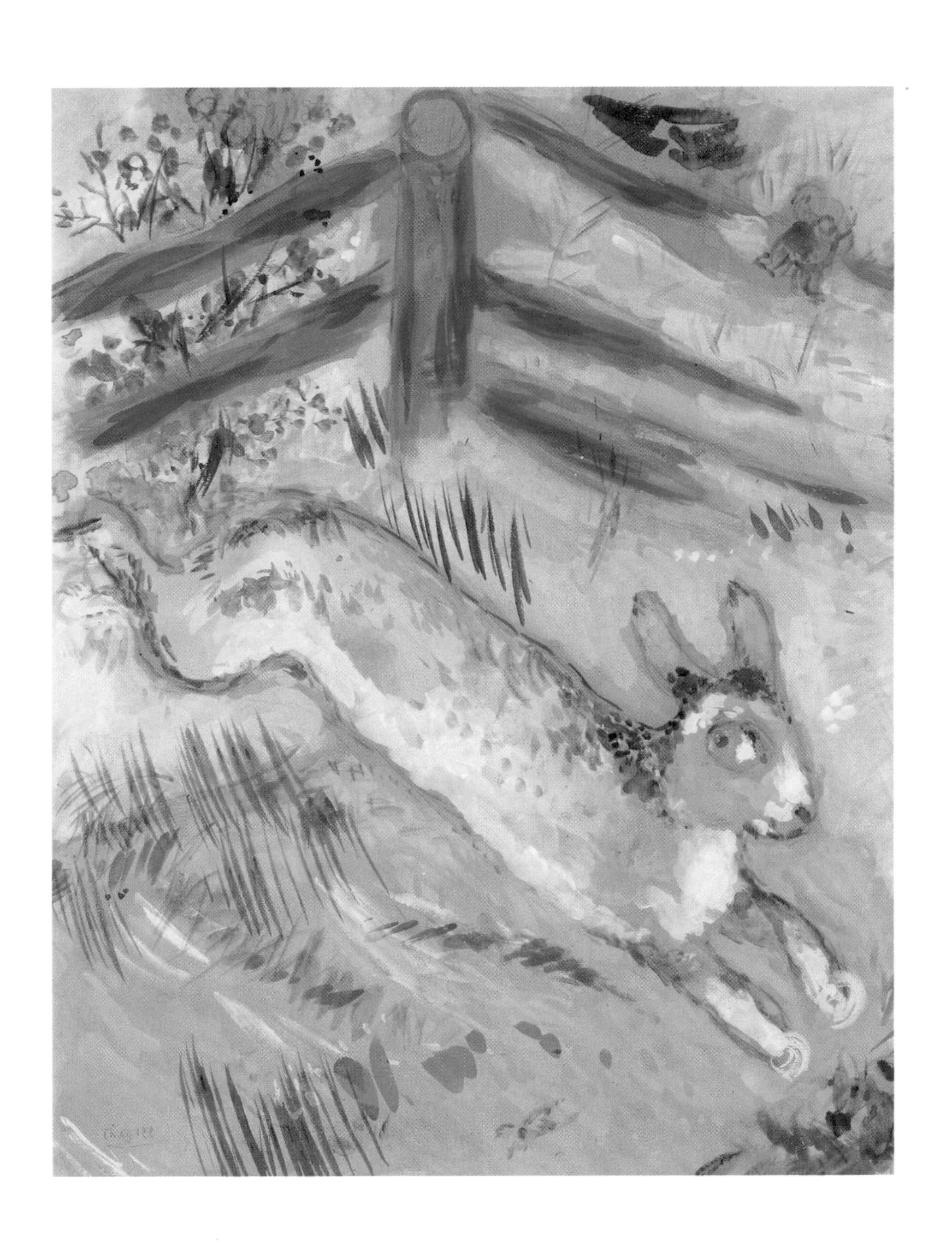

Le Lièvre et les Grenouilles

LE COQ ET LE RENARD

Sur la branche d'un arbre était en sentinelle
Un vieux coq adroit et matois.
« Frère, dit un renard, adoucissant sa voix,
Nous ne sommes plus en querelle :
Paix générale cette fois.
Je viens te l'annoncer ; descends que je t'embrasse,
Ne me retarde point, de grâce :
Je dois faire aujourd'hui vingt postes sans manquer.
Les tiens et toi pouvez vaquer
Sans nulle crainte à vos affaires ;
Nous vous y servirons en frères.
Faites-en les feux dès ce soir,
Et cependant viens recevoir
Le baiser d'amour fraternelle.
– Ami, reprit le coq, je ne pouvais jamais
Apprendre une plus douce et meilleure nouvelle
Que celle
De cette paix ;
Et ce m'est une double joie
De la tenir de toi. Je vois deux lévriers,
Qui, je m'assure, sont courriers
Que pour ce sujet on envoie.
Ils vont vite, et seront dans un moment à nous.
Je descends ; nous pourrons nous entre-baiser tous.
– Adieu, dit le renard, ma traite est longue à faire :
Nous nous réjouirons du succès de l'affaire
Une autre fois. » Le galant aussitôt
Tire ses grègues, gagne au haut,
Mal content de son stratagème ;
Et notre vieux coq en soi-même
Se mit à rire de sa peur ;
Car c'est double plaisir de tromper le trompeur.

Le Coq et le Renard

LE LOUP DEVENU BERGER

Un loup qui commençait d'avoir petite part
Aux brebis de son voisinage,
Crut qu'il fallait s'aider de la peau du renard
Et faire un nouveau personnage.
Il s'habille en berger, endosse un hoqueton,
Fait sa houlette d'un bâton,
Sans oublier la cornemuse.
Pour pousser jusqu'au bout la ruse,
Il aurait volontiers écrit sur son chapeau :
C'est moi qui suis Guillot, berger de ce troupeau.
Sa personne étant ainsi faite
Et ses pieds de devant posés sur sa houlette,
Guillot le sycophante approche doucement.*
Guillot le vrai Guillot, étendu sur l'herbette,
Dormait alors profondément.
Son chien dormait aussi, comme aussi sa musette.
La plupart des brebis dormaient pareillement.
L'hypocrite les laissa faire,
Et pour pouvoir mener vers son fort les brebis
Il voulut ajouter la parole aux habits,
Chose qu'il croyait nécessaire.
Mais cela gâta son affaire,
Il ne put du pasteur contrefaire la voix.
Le ton dont il parla fit retentir les bois,
Et découvrit tout le mystère.
Chacun se réveille à ce son,
Les brebis, le chien, le garçon.
Le pauvre loup, dans cet esclandre,
Empêché par son hoqueton,
Ne put ni fuir ni se défendre.
Toujours par quelque endroit fourbes se laissent prendre.
Quiconque est loup agisse en loup :
C'est le plus certain de beaucoup.

* *Trompeur*

Le Loup devenu berger

LE RENARD ET LES RAISINS

Certain renard gascon, d'autres disent normand,
Mourant presque de faim, vit au haut d'une treille
Des raisins mûrs apparemment
Et couverts d'une peau vermeille.
Le galant en eût fait volontiers un repas ;
Mais comme il n'y pouvait atteindre :
« Ils sont trop verts, dit-il, et bons pour des goujats. »

Fit-il pas mieux que de se plaindre ?

L'AIGLE, LA LAIE ET LA CHATTE

L'aigle avait ses petits au haut d'un arbre creux,
La laie au pied, la chatte entre les deux ;
Et sans s'incommoder, moyennant ce partage,
Mères et nourrissons faisaient leur tripotage.
La chatte détruisit par sa fourbe l'accord.
Elle grimpa chez l'aigle, et lui dit : « Notre mort
(Au moins de nos enfants, car c'est tout un aux mères)
Ne tardera possible guères.
Voyez-vous à nos pieds fouir incessamment
Cette maudite laie, et creuser une mine ?
C'est pour déraciner le chêne assurément,
Et de nos nourrissons attirer la ruine.
L'arbre tombant, ils seront dévorés :
Qu'ils s'en tiennent pour assurés.
S'il m'en restait un seul, j'adoucirais ma plainte. »
Au partir de ce lieu, qu'elle remplit de crainte,
La perfide descend tout droit
À l'endroit
Où la laie était en gésine.

Le Renard et les Raisins

« Ma bonne amie et ma voisine,
Lui dit-elle tout bas, je vous donne un avis.
L'aigle, si vous sortez, fondra sur vos petits :
Obligez-moi de n'en rien dire :
Son courroux tomberait sur moi. »
Dans cette autre famille ayant semé l'effroi,
La chatte en son trou se retire.
L'aigle n'ose sortir, ni pourvoir aux besoins
De ses petits ; la laie encore moins :
Sottes de ne pas voir que le plus grand des soins,
Ce doit être celui d'éviter la famine.
À demeurer chez soi l'une et l'autre s'obstine
Pour secourir les siens dedans l'occasion :
L'oiseau royal, en cas de mine,
La laie, en cas d'irruption.
La faim détruisit tout : il ne resta personne
De la gent marcassine et de la gent aiglonne,
Qui n'allât de vie à trépas :
Grand renfort pour messieurs les chats.

Que ne sait point ourdir une langue traîtresse
Par sa pernicieuse adresse ?
Des malheurs qui sont sortis
De la boîte de Pandore,
Celui qu'à meilleur droit tout l'univers abhorre,
C'est la fourbe, à mon avis.

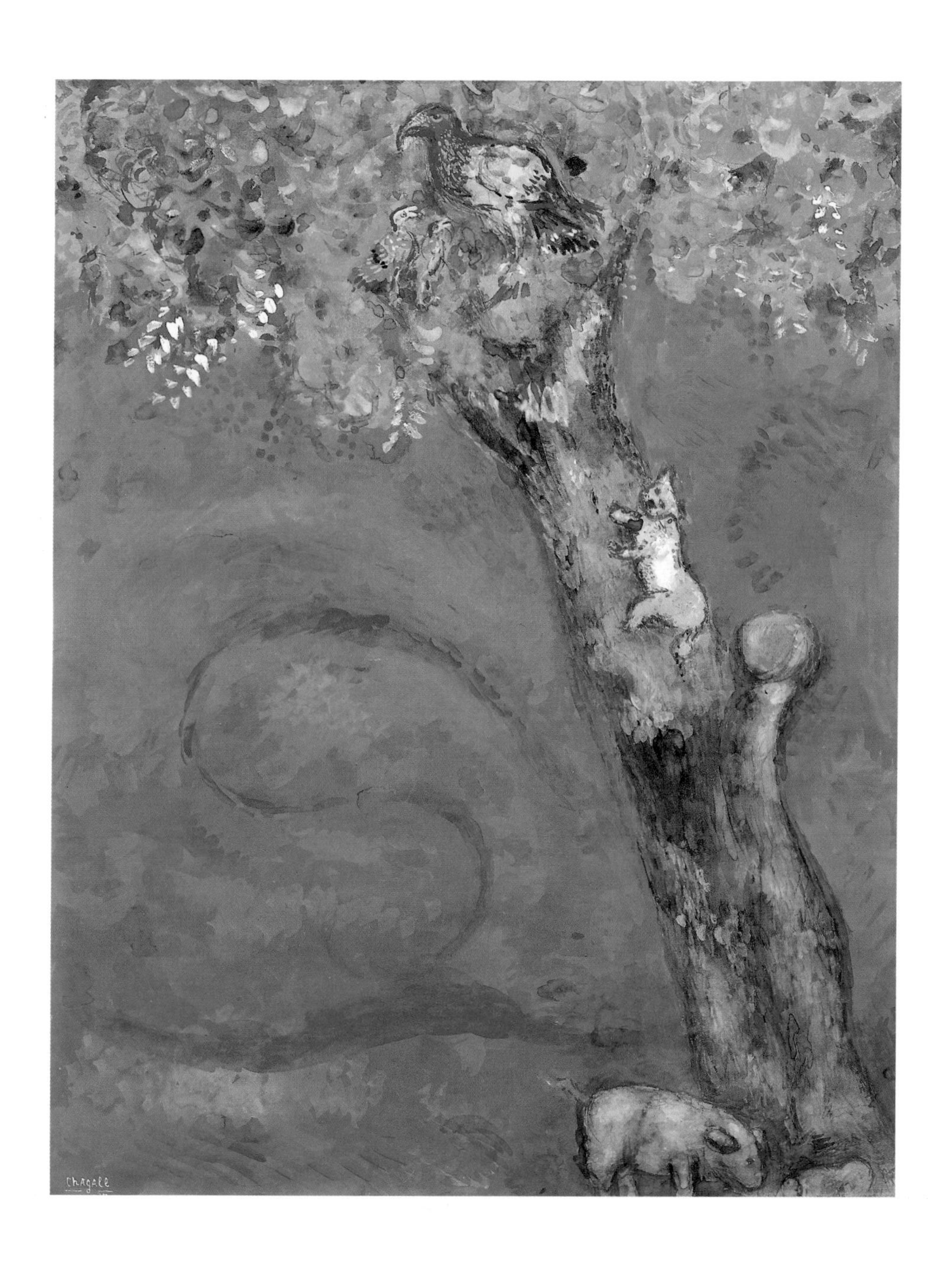

L'Aigle, la Laie et la Chatte

LE LION DEVENU VIEUX

Le lion, terreur des forêts,
Chargé d'ans, et pleurant son antique prouesse,
Fut enfin attaqué par ses propres sujets,
Devenus forts par sa faiblesse.
Le cheval s'approchant lui donne un coup de pied,
Le loup, un coup de dent, le bœuf, un coup de corne.
Le malheureux lion, languissant, triste, et morne,
Peut à peine rugir, par l'âge estropié.
Il attend son destin, sans faire aucunes plaintes,
Quand voyant l'âne même à son antre accourir :
« Ah ! c'est trop, lui dit-il : je voulais bien mourir ;
Mais c'est mourir deux fois que souffrir tes atteintes. »

L'ŒIL DU MAÎTRE

Un cerf s'étant sauvé dans une étable à bœufs
Fut d'abord averti par eux
Qu'il cherchât un meilleur asile.
« Mes frères, leur dit-il, ne me décelez pas :
Je vous enseignerai les pâtis les plus gras ;
Ce service vous peut quelque jour être utile,
Et vous n'en aurez point regret. »
Les bœufs à toutes fins promirent le secret.
Il se cache en un coin, respire, et prend courage.
Sur le soir on apporte herbe fraîche et fourrage
Comme l'on faisait tous les jours.
L'on va, l'on vient, les valets font cent tours.
L'intendant même, et pas un d'aventure
N'aperçut ni corps, ni ramure,
Ni cerf enfin. L'habitant des forêts
Rend déjà grâce aux bœufs, attend dans cette étable
Que chacun retournant au travail de Cérès,

Le Lion devenu vieux

Il trouve pour sortir un moment favorable.
L'un des bœufs ruminant lui dit : « Cela va bien ;
Mais quoi ! l'homme aux cent yeux n'a pas fait sa revue.
Je crains fort pour toi sa venue.
Jusque-là, pauvre cerf, ne te vante de rien. »
Là-dessus le maître entre et vient faire sa ronde.
« Qu'est ceci ? dit-il à son monde.
Je trouve bien peu d'herbe en tous ces râteliers.
Cette litière est vieille : allez vite aux greniers.
Je veux voir désormais vos bêtes mieux soignées.
Que coûte-t-il d'ôter toutes ces araignées ?
Ne saurait-on ranger ces jougs et ces colliers ? »
En regardant à tout, il voit une autre tête
Que celles qu'il voyait d'ordinaire en ce lieu.
Le cerf est reconnu ; chacun prend un épieu ;
Chacun donne un coup à la bête.
Ses larmes ne sauraient la sauver du trépas.
On l'emporte, on la sale, on en fait maint repas,
Dont maint voisin s'éjouit d'être.

Phèdre sur ce sujet dit fort élégamment :
Il n'est, pour voir, que l'œil du maître.
Quant à moi, j'y mettrais encor l'œil de l'amant.

L'Œil du maître

LE PETIT POISSON ET LE PÊCHEUR

Petit poisson deviendra grand,
Pourvu que Dieu lui prête vie.
Mais le lâcher en attendant,
Je tiens pour moi que c'est folie ;
Car de le rattraper il n'est pas trop certain.

Un carpeau, qui n'était encore que fretin
Fut pris par un pêcheur au bord d'une rivière.
« Tout fait nombre, dit l'homme en voyant son butin ;
Voilà commencement de chère et de festin :
Mettons-le en notre gibecière. »
Le pauvre carpillon lui dit en sa manière :
« Que ferez-vous de moi ? je ne saurais fournir
Au plus qu'une demi-bouchée ;
Laissez-moi carpe devenir :
Je serai par vous repêchée.
Quelque gros partisan m'achètera bien cher,
Au lieu qu'il vous en faut chercher
Peut-être encor cent de ma taille
Pour faire un plat. Quel plat ? croyez-moi, rien qui vaille.
– Rien qui vaille ? Eh bien soit, repartit le pêcheur ;
Poisson, mon bel ami, qui faites le prêcheur,
Vous irez dans la poêle ; et vous avez beau dire,
Dès ce soir on vous fera frire. »

Un Tiens vaut, ce dit-on, mieux que deux Tu l'auras :
L'un est sûr, l'autre ne l'est pas.

Le Petit Poisson et le Pêcheur

LE SOLEIL ET LES GRENOUILLES

Aux noces d'un tyran tout le peuple en liesse
Noyait son souci dans les pots.
Ésope seul trouvait que les gens étaient sots
De témoigner tant d'allégresse.

Le Soleil, disait-il, eut dessein autrefois
De songer à l'hyménée.
Aussitôt on ouït d'une commune voix
Se plaindre de leur destinée
Les citoyennes des étangs.
« Que ferons-nous, s'il lui vient des enfants ?
Dirent-elles au Sort, un seul Soleil à peine
Se peut souffrir. Une demi-douzaine
Mettra la mer à sec et tous ses habitants.
Adieu joncs et marais : notre race est détruite.
Bientôt on la verra réduite
À l'eau du Styx. » Pour un pauvre animal,
Grenouilles, à mon sens, ne raisonnaient pas mal.

LE CURÉ ET LE MORT

Un mort s'en allait tristement
S'emparer de son dernier gîte ;
Un curé s'en allait gaiement
Enterrer ce mort au plus vite.
Notre défunt était en carrosse porté,
Bien et dûment empaqueté,
Et vêtu d'une robe, hélas ! qu'on nomme bière,
Robe d'hiver, robe d'été,
Que les morts ne dépouillent guère.
Le pasteur était à côté,
Et récitait à l'ordinaire

Le Soleil et les Grenouilles

Maintes dévotes oraisons,
Et des psaumes et des leçons,
Et des versets et des répons :
« Monsieur le mort, laissez-nous faire,
On vous en donnera de toutes les façons ;
Il ne s'agit que du salaire. »
Messire Jean Chouart couvait des yeux son mort,
Comme si l'on eût dû lui ravir ce trésor,
Et des regards semblait lui dire :
« Monsieur le mort, j'aurai de vous
Tant en argent, et tant en cire,
Et tant en autres menus coûts. »
Il fondait là-dessus l'achat d'une feuillette
Du meilleur vin des environs ;
Certaine nièce assez proprette
Et sa chambrière Pâquette
Devaient avoir des cotillons.
Sur cette agréable pensée
Un heurt survient, adieu le char.
Voilà Messire Jean Chouart
Qui du choc de son mort a la tête cassée :
Le paroissien en plomb entraîne son pasteur ;
Notre curé suit son seigneur ;
Tous deux s'en vont de compagnie.

Proprement toute notre vie
Est le curé Chouart, qui sur son mort comptait,
Et la fable du Pot au lait.

Le Curé et le Mort

LE POT DE TERRE ET LE POT DE FER

Le pot de fer proposa
Au pot de terre un voyage.
Celui-ci s'en excusa,
Disant qu'il ferait que sage
De garder le coin du feu :
Car il lui fallait si peu,
Si peu, que la moindre chose
De son débris serait cause.
Il n'en reviendrait morceau.
« Pour vous, dit-il, dont la peau
Est plus dure que la mienne,
Je ne vois rien qui vous tienne.
– Nous vous mettrons à couvert,
Repartit le pot de fer.
Si quelque matière dure
Vous menace d'aventure,
Entre deux je passerai,
Et du coup vous sauverai. »
Cette offre le persuade.
Pot de fer son camarade
Se met droit à ses côtés.
Mes gens s'en vont à trois pieds,
Clopin-clopant comme ils peuvent,
L'un contre l'autre jetés
Au moindre hoquet qu'ils treuvent.
Le pot de terre en souffre ; il n'eut pas fait cent pas
Que par son compagnon il fut mis en éclats,
Sans qu'il eût lieu de se plaindre.

Ne nous associons qu'avecque nos égaux.
Ou bien il nous faudra craindre
Le destin d'un de ces pots.

Le Pot de terre et le Pot de fer

LE LOUP, LA MÈRE ET L'ENFANT

Ce loup me remet en mémoire
Un de ses compagnons qui fut encor mieux pris.
Il y périt ; voici l'histoire.

Un villageois avait à l'écart son logis.
Messer Loup attendait chape-chute à la porte.
Il avait vu sortir gibier de toute sorte :
Veaux de lait, agneaux et brebis,
Régiments de dindons, enfin bonne provende.
Le larron commençait pourtant à s'ennuyer.
Il entend un enfant crier.
La mère aussitôt le gourmande,
Le menace, s'il ne se tait,
De le donner au loup. L'animal se tient prêt,
Remerciant les dieux d'une telle aventure,
Quand la mère, apaisant sa chère géniture,
Lui dit : « Ne criez point ; s'il vient, nous le tuerons.
– Qu'est ceci ? s'écria le mangeur de moutons.
Dire d'un, puis d'un autre ? Est-ce ainsi que l'on traite
Les gens faits comme moi ? me prend-on pour un sot ?
Que quelque jour ce beau marmot
Vienne au bois cueillir la noisette ! »
Comme il disait ces mots, on sort de la maison :
Un chien de cour l'arrête. Épieux et fourches-fières
L'ajustent de toutes manières.
« Que veniez-vous chercher en ce lieu ? » lui dit-on.
Aussitôt il conta l'affaire.
« Merci de moi ! lui dit la mère ;
Tu mangeras mon fils ! L'ai-je fait à dessein
Qu'il assouvisse un jour ta faim ? »
On assomma la pauvre bête.
Un manant lui coupa le pied droit et la tête :
Le seigneur du village à sa porte les mit ;
Et ce dicton picard à l'entour fut écrit :
« Biaux chires Leups, n'écoutez mie
Mère tenchent chen fieux qui crie. »

Le Loup, la Mère et l'Enfant

LE RENARD ET LES POULETS D'INDE

Contre les assauts d'un renard
Un arbre à des dindons servait de citadelle.
Le perfide, ayant fait tout le tour du rempart,
Et vu chacun en sentinelle,
S'écria : « Quoi ! ces gens se moqueront de moi !
Eux seuls seront exempts de la commune loi !
Non, par tous les dieux ! non. » Il accomplit son dire.
La lune, alors luisant, semblait, contre le sire,
Vouloir favoriser la dindonnière gent.
Lui, qui n'était novice au métier d'assiégeant,
Eut recours à son sac de ruses scélérates,
Feignit vouloir gravir, se guinda sur ses pattes,
Puis contrefit le mort, puis le ressuscité.
Arlequin n'eût exécuté
Tant de différents personnages.
Il élevait sa queue, il la faisait briller,
Et cent mille autres badinages.
Pendant quoi nul dindon n'eût osé sommeiller :
L'ennemi les lassait en leur tenant la vue
Sur même objet toujours tendue.
Les pauvres gens étant à la longue éblouis,
Toujours il en tombait quelqu'un : autant de pris,
Autant de mis à part ; près de moitié succombe.
Le compagnon les porte en son garde-manger.

Le trop d'attention qu'on a pour le danger
Fait le plus souvent qu'on y tombe.

Le Renard et les Poulets d'Inde

LE STATUAIRE
ET LA STATUE DE JUPITER

Un bloc de marbre était si beau
Qu'un statuaire en fit l'emplette.
« Qu'en fera, dit-il, mon ciseau ?
Sera-t-il dieu, table ou cuvette ?

Il sera dieu : même je veux
Qu'il ait en sa main un tonnerre.
Tremblez, humains. Faites des vœux ;
Voilà le maître de la terre. »

L'artisan exprima si bien
Le caractère de l'idole,
Qu'on trouva qu'il ne manquait rien
À Jupiter que la parole.

Même l'on dit que l'ouvrier
Eut à peine achevé l'image,
Qu'on le vit frémir le premier,
Et redouter son propre ouvrage.

À la faiblesse du sculpteur
Le poète autrefois n'en dut guère,
Des dieux dont il fut l'inventeur
Craignant la haine et la colère.

Il était enfant en ceci :
Les enfants n'ont l'âme occupée
Que du continuel souci
Qu'on ne fâche point leur poupée.

Le cœur suit aisément l'esprit :
De cette source est descendue
L'erreur païenne, qui se vit
Chez tant de peuples répandue.

Le Statuaire et la statue de Jupiter

Ils embrassaient violemment
Les intérêts de leur chimère.
Pygmalion devint amant
De la Vénus dont il fut père.

Chacun tourne en réalités,
Autant qu'il peut, ses propres songes :
L'homme est de glace aux vérités ;
Il est de feu pour les mensonges.

LES DEUX MULETS

Deux mulets cheminaient : l'un d'avoine chargé,
L'autre portant l'argent de la gabelle.
Celui-ci, glorieux d'une charge si belle,
N'eût voulu pour beaucoup en être soulagé.
Il marchait d'un pas relevé,
Et faisait sonner sa sonnette :
Quand, l'ennemi se présentant,
Comme il en voulait à l'argent,
Sur le mulet du fisc une troupe se jette,
Le saisit au frein et l'arrête.
Le mulet, en se défendant
Se sent percer de coups : il gémit, il soupire.
« Est-ce donc là, dit-il, ce qu'on m'avait promis ?
Ce mulet qui me suit du danger se retire,
Et moi j'y tombe, et je péris.
– Ami, lui dit son camarade,
Il n'est pas toujours bon d'avoir un haut emploi :
Si tu n'avais servi qu'un meunier, comme moi,
Tu ne serais pas si malade. »

Les Deux Mulets

LA VIEILLE ET LES DEUX SERVANTES

Il était une vieille ayant deux chambrières.
Elles filaient si bien que les sœurs filandières
Ne faisaient que brouiller au prix de celles-ci.
La vieille n'avait point de plus pressant souci
Que de distribuer aux servantes leur tâche.
Dès que Téthys chassait Phébus aux crins dorés,
Tourets entraient en jeu, fuseaux étaient tirés ;
Deçà, delà, vous en aurez ;
Point de cesse, point de relâche.
Dès que l'Aurore, dis-je, en son char remontait,
Un misérable coq à point nommé chantait.
Aussitôt notre vieille encor plus misérable
S'affublait d'un jupon crasseux et détestable,
Allumait une lampe, et courait droit au lit
Où de tout leur pouvoir, de tout leur appétit,
Dormaient les deux pauvres servantes.
L'une entr'ouvrait un œil, l'autre étendait un bras ;
Et toutes deux, très malcontentes,
Disaient entre leurs dents : « Maudit coq, tu mourras. »
Comme elles l'avaient dit, la bête fut grippée.
Le réveille-matin eut la gorge coupée.
Ce meurtre n'amenda nullement leur marché.
Notre couple au contraire à peine était couché
Que la vieille, craignant de laisser passer l'heure,
Courait comme un lutin par toute sa demeure.
C'est ainsi que le plus souvent,
Quand on pense sortir d'une mauvaise affaire,
On s'enfonce encor plus avant :
Témoin ce couple et son salaire.
La vieille, au lieu du coq, les fit tomber par là
De Charybde en Scylla.

La Vieille et les deux Servantes

LE SATYRE ET LE PASSANT

Au fond d'un antre sauvage,
Un satyre et ses enfants
Allaient manger leur potage
Et prendre l'écuelle aux dents.

On les eût vus sur la mousse
Lui, sa femme, et maint petit ;
Ils n'avaient tapis ni housse,
Mais tous fort bon appétit.

Pour se sauver de la pluie,
Entre un passant morfondu.
Au brouet on le convie :
Il n'était pas attendu.

Son hôte n'eut pas la peine
De le semondre deux fois ;
D'abord avec son haleine
Il se réchauffe les doigts.

Puis sur le mets qu'on lui donne
Délicat il souffle aussi ;
Le satyre s'en étonne :
« Notre hôte, à quoi bon ceci ?

– L'un refroidit mon potage,
L'autre réchauffe ma main.
– Vous pouvez, dit le sauvage,
Reprendre votre chemin.

Ne plaise aux dieux que je couche
Avec vous sous même toit.
Arrière ceux dont la bouche
Souffle le chaud et le froid ! »

Le Satyre et le Passant

LE CHARTIER EMBOURBÉ

Le Phaéton d'une voiture à foin
Vit son char embourbé. Le pauvre homme était loin
De tout humain secours. C'était à la campagne
Près d'un certain canton de la basse Bretagne
Appelé Quimper-Corentin.
On sait assez que le Destin
Adresse là les gens quand il veut qu'on enrage.
Dieu nous préserve du voyage !
Pour venir au chartier embourbé dans ces lieux,
Le voilà qui déteste et jure de son mieux,
Pestant en sa fureur extrême
Tantôt contre les trous, puis contre ses chevaux,
Contre son char, contre lui-même.
Il invoque à la fin le dieu dont les travaux
Sont si célèbres dans le monde :
« Hercule, lui dit-il, aide-moi ; si ton dos
A porté la machine ronde,
Ton bras peut me tirer d'ici. »
Sa prière étant faite, il entend dans la nue
Une voix qui lui parle ainsi :
« Hercule veut qu'on se remue,
Puis il aide les gens. Regarde d'où provient
L'achoppement qui te retient.
Ôte d'autour de chaque roue
Ce malheureux mortier, cette maudite boue
Qui jusqu'à l'essieu les enduit.
Prends ton pic et me romps ce caillou qui te nuit.
Comble-moi cette ornière. As-tu fait ? – Oui, dit l'homme,
– Or bien je vas t'aider, dit la voix : prends ton fouet.
– Je l'ai pris. Qu'est ceci ? mon char marche à souhait.
Hercule en soit loué. » Lors la voix : « Tu vois comme
Tes chevaux aisément se sont tirés de là.

Aide-toi, le Ciel t'aidera. »

Le Chartier embourbé

LE HÉRON

Un jour, sur ses longs pieds, allait je ne sais où
Le héron au long bec emmanché d'un long cou :
Il côtoyait une rivière.
L'onde était transparente ainsi qu'aux plus beaux jours ;
Ma commère la carpe y faisait mille tours
Avec le brochet son compère.
Le héron en eût fait aisément son profit :
Tous approchaient du bord, l'oiseau n'avait qu'à prendre ;
Mais il crut mieux faire d'attendre
Qu'il eût un peu plus d'appétit :
Il vivait de régime, et mangeait à ses heures.
Après quelques moments l'appétit vint : l'oiseau
S'approchant du bord vit sur l'eau
Des tanches qui sortaient du fond de ces demeures.
Le mets ne lui plut pas ; il s'attendait à mieux,
Et montrait un goût dédaigneux
Comme le rat du bon Horace.
« Moi des tanches ? dit-il, moi héron que je fasse
Une si pauvre chère ? Et pour qui me prend-on ? »
La tanche rebutée, il trouva du goujon.
« Du goujon ! c'est bien là le dîner d'un héron !
J'ouvrirais pour si peu le bec ! aux dieux ne plaise ! »
Il l'ouvrit pour bien moins : tout alla de façon
Qu'il ne vit plus aucun poisson.
La faim le prit, il fût tout heureux et tout aise
De rencontrer un limaçon.
Ne soyons pas si difficiles :
Les plus accommodants, ce sont les plus habiles :
On hasarde de perdre en voulant trop gagner.
Gardez-vous de rien dédaigner,
Surtout quand vous avez à peu près votre compte.
Bien des gens y sont pris. Ce n'est pas aux hérons
Que je parle. Écoutez, humains, un autre conte.
Vous verrez que chez vous j'ai puisé ces leçons.

Le Héron

LE RAT ET L'ÉLÉPHANT

Se croire un personnage est fort commun en France :
On y fait l'homme d'importance,
Et l'on n'est souvent qu'un bourgeois :
C'est proprement le mal françois.
La sotte vanité nous est particulière.
Les Espagnols sont vains, mais d'une autre manière.
Leur orgueil me semble en un mot
Beaucoup plus fou, mais pas si sot.
Donnons quelque image du nôtre
Qui sans doute en vaut bien un autre.

Un rat des plus petits voyait un éléphant
Des plus gros, et raillait le marcher un peu lent
De la bête de haut parage,
Qui marchait à gros équipage.
Sur l'animal à triple étage
Une sultane de renom,
Son chien, son chat et sa guenon,
Son perroquet, sa vieille, et toute sa maison,
S'en allait en pèlerinage.
Le rat s'étonnait que les gens
Fussent touchés de voir cette pesante masse :
« Comme si d'occuper ou plus ou moins de place
Nous rendait, disait-il, plus ou moins importants.
Mais qu'admirez-vous tant en lui, vous autres hommes ?
Serait-ce ce grand corps qui fait peur aux enfants ?
Nous ne nous prisons pas, tout petits que nous sommes,
D'un grain moins que les éléphants. »
Il en aurait dit davantage ;
Mais le chat, sortant de sa cage,
Lui fit voir, en moins d'un instant
Qu'un rat n'est pas un éléphant.

Le Rat et l'Éléphant

LE CHEVAL ET L'ÂNE

En ce monde il se faut l'un l'autre secourir.
Si ton voisin vient à mourir,
C'est sur toi que le fardeau tombe.

Un âne accompagnait un cheval peu courtois,
Celui-ci ne portant que son simple harnois,
Et le pauvre baudet si chargé qu'il succombe.
Il pria le cheval de l'aider quelque peu :
Autrement il mourrait devant qu'être à la ville.
« La prière, dit-il, n'en est pas incivile :
Moitié de ce fardeau ne vous sera que jeu. »
Le cheval refusa, fit une pétarade :
Tant qu'il vit sous le faix mourir son camarade,
Et reconnut qu'il avait tort.
Du baudet, en cette aventure,
On lui fit porter la voiture,
Et la peau par dessus encor.

L'ÂNE ET LE CHIEN

Il se faut entr'aider : c'est la loi de Nature.
L'âne un jour pourtant s'en moqua :
Et ne sais comme il y manqua,
Car il est bonne créature.
Il allait par pays accompagné du chien,
Gravement, sans songer à rien ;
Tous deux suivis d'un commun maître.
Ce maître s'endormit. L'âne se mit à paître :
Il était alors dans un pré,
Dont l'herbe était fort à son gré.
Point de chardons pourtant ; il s'en passa pour l'heure :
Il ne faut pas toujours être si délicat ;
Et faute de servir ce plat

Le Cheval et l'Âne

Rarement un festin demeure.
Notre baudet s'en sut enfin
Passer pour cette fois. Le chien, mourant de faim,
Lui dit : «Cher compagnon, baisse-toi, je te prie ;
Je prendrai mon dîné dans le panier au pain. »
Point de réponse, mot : le roussin d'Arcadie
Craignit qu'en perdant un moment,
Il ne perdît un coup de dent.
Il fit longtemps la sourde oreille ;
Enfin il répondit : « Ami, je te conseille
D'attendre que ton maître ait fini son sommeil ;
Car il te donnera sans faute à son réveil,
Ta portion accoutumée.
Il ne saurait tarder beaucoup. »
Sur ces entrefaites un loup
Sort du bois, et s'en vient ; autre bête affamée.
L'âne appelle aussitôt le chien à son secours.
Le chien ne bouge, et dit : « Ami, je te conseille
De fuir, en attendant que ton maître s'éveille ;
Il ne saurait tarder ; détale vite, et cours.
Que si ce loup t'atteint, casse-lui la mâchoire.
On t'a ferré de neuf ; et si tu me veux croire,
Tu l'étendras tout plat. » Pendant ce beau discours
Seigneur Loup étrangla le baudet sans remède.

Je conclus qu'il faut qu'on s'entr'aide.

LE LION ET LE MOUCHERON

« Va-t'en, chétif insecte, excrément de la terre. »
C'est en ces mots que le lion
Parlait un jour au moucheron.
L'autre lui déclara la guerre.
« Penses-tu, lui dit-il, que ton titre de roi
Me fasse peur ni me soucie ?

L'Âne et le Chien

Un bœuf est plus puissant que toi,
Je le mène à ma fantaisie. »
À peine il achevait ces mots
Que lui-même il sonna la charge,
Fut le trompette et le héros.
Dans l'abord il se met au large,
Puis prend son temps, fond sur le cou
Du lion, qu'il rend presque fou.
Le quadrupède écume, et son œil étincelle ;
Il rugit, on se cache, on tremble à l'environ ;
Et cette alarme universelle
Est l'ouvrage d'un moucheron.
Un avorton de mouche en cent lieux le harcelle,
Tantôt pique l'échine, et tantôt le museau,
Tantôt entre au fond du naseau.
La rage alors se trouve à son faîte montée.
L'invisible ennemi triomphe, et rit de voir
Qu'il n'est griffe ni dent en la bête irritée
Qui de la mettre en sang ne fasse son devoir.
Le malheureux lion se déchire lui-même,
Fait résonner sa queue à l'entour de ses flancs,
Bat l'air, qui n'en peut mais ; et sa fureur extrême
Le fatigue, l'abat ; le voilà sur les dents.
L'insecte du combat se retire avec gloire :
Comme il sonna la charge, il sonne la victoire,
Va partout l'annoncer, et rencontre en chemin
L'embuscade d'une araignée :
Il y rencontre aussi sa fin.
Quelle chose par là nous peut être enseignée ?
J'en vois deux, dont l'une est qu'entre nos ennemis
Les plus à craindre sont souvent les plus petits ;
L'autre, qu'aux grands périls tel a pu se soustraire,
Qui périt pour la moindre affaire.

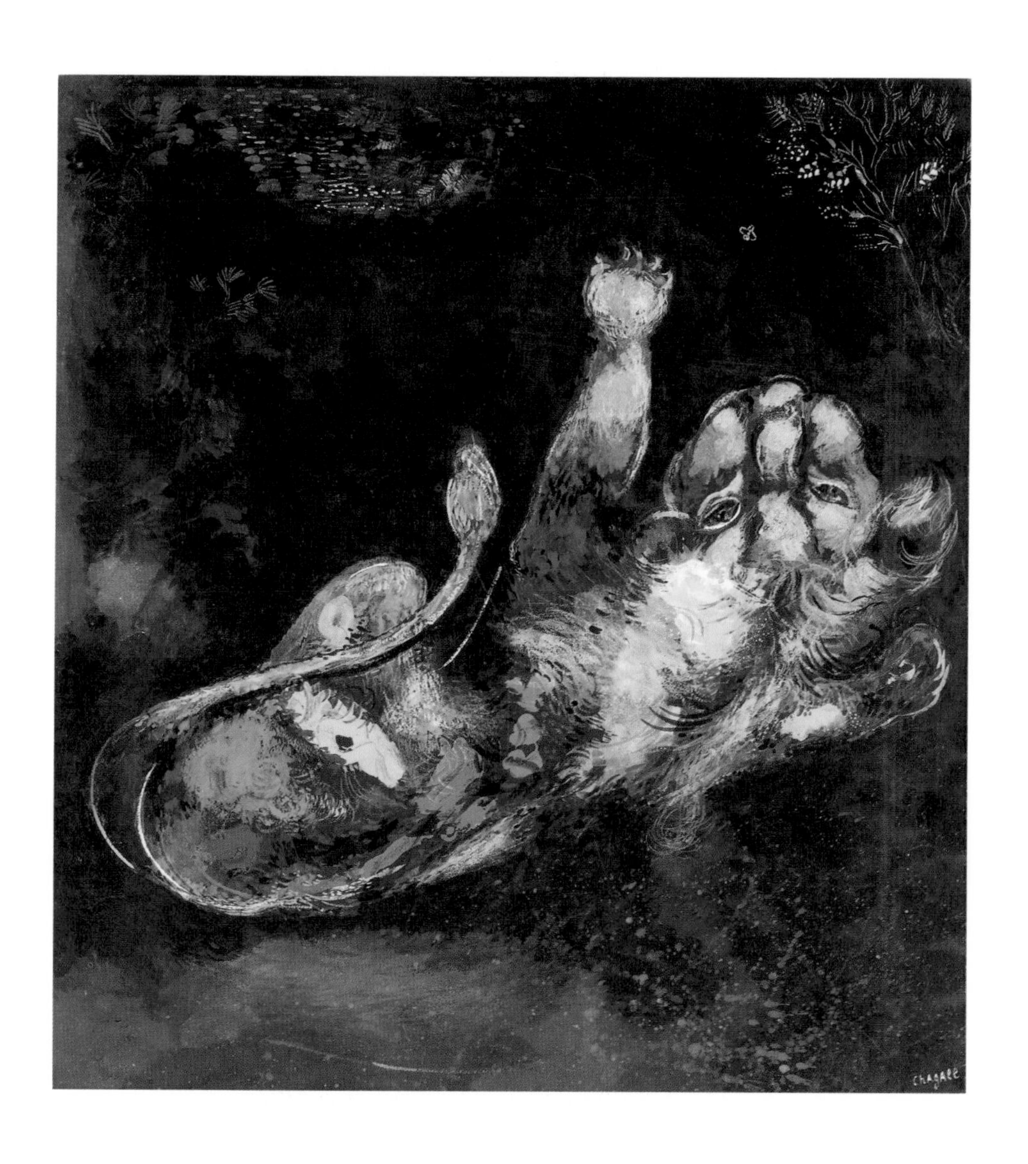

Le Lion et le Moucheron

LE PAON SE PLAIGNANT À JUNON

Le paon se plaignait à Junon :
« Déesse, disait-il, ce n'est pas sans raison
Que je me plains, que je murmure :
Le chant dont vous m'avez fait don
Déplaît à toute la nature ;
Au lieu qu'un rossignol, chétive créature,
Forme des sons aussi doux qu'éclatants,
Est lui seul l'honneur du printemps. »
Junon répondit en colère :
« Oiseau jaloux, et qui devrais te taire,
Est-ce à toi d'envier la voix du rossignol,
Toi que l'on voit porter à l'entour de ton col
Un arc-en-ciel nué de cent sortes de soies ;
Qui te panades, qui déploies
Une si riche queue, et qui semble à nos yeux
La boutique d'un lapidaire ?
Est-il quelque oiseau sous les cieux
Plus que toi capable de plaire ?
Tout animal n'a pas toutes propriétés.
Nous vous avons donné diverses qualités :
Les uns ont la grandeur et la force en partage ;
Le faucon est léger, l'aigle plein de courage ;
Le corbeau sert pour le présage,
La corneille avertit des malheurs à venir ;
Tous sont contents de leur ramage.
Cesse donc de te plaindre, ou bien, pour te punir,
Je t'ôterai ton plumage. »

Le Paon se plaignant à Junon

L'OURS ET LES DEUX COMPAGNONS

Deux compagnons pressés d'argent
À leur voisin fourreur vendirent
La peau d'un ours encor vivant,
Mais qu'ils tueraient bientôt, du moins à ce qu'il dirent.
C'était le roi des ours au compte de ces gens.
Le marchand à sa peau devait faire fortune.
Elle garantirait des froids les plus cuisants.
On en pourrait fourrer plutôt deux robes qu'une.
Dindenaut prisait moins ses moutons qu'eux leur ours :
Leur, à leur compte, et non à celui de la bête.
S'offrant de la livrer au plus tard dans deux jours,
Ils conviennent de prix, et se mettent en quête,
Trouvent l'ours qui s'avance, et vient vers eux au trot.
Voilà mes gens frappés comme d'un coup de foudre.
Le marché ne tint pas ; il fallut le résoudre :
D'intérêts contre l'ours, on n'en dit pas un mot.
L'un des deux compagnons grimpe au faîte d'un arbre ;
L'autre, plus froid que n'est un marbre,
Se couche sur le nez, fait le mort, tient son vent,
Ayant quelque part ouï dire
Que l'ours s'acharne peu souvent
Sur un corps qui ne vit, ne meut, ni ne respire.
Seigneur Ours, comme un sot, donna dans ce panneau.
Il voit ce corps gisant, le croit privé de vie,
Et de peur de supercherie
Le tourne, le retourne, approche son museau,
Flaire aux passages de l'haleine.
« C'est, dit-il, un cadavre ; ôtons-nous, car il sent. »
À ces mots, l'ours s'en va dans la forêt prochaine.
L'un de nos deux marchands de son arbre descend,
Court à son compagnon, lui dit que c'est merveille
Qu'il n'ait eu seulement que la peur pour tout mal.
« Eh bien, ajouta-t-il, la peau de l'animal ?
Mais que t'a-t-il dit à l'oreille ?

L'Ours et les deux Compagnons

Car il s'approchait de bien près,
Te retournant avec sa serre.
– Il m'a dit qu'il ne faut jamais
Vendre la peau de l'ours qu'on ne l'ait mis par terre. »

LES DEUX PERROQUETS, LE ROI ET SON FILS

Deux perroquets, l'un père et l'autre fils,
Du rôt d'un roi faisaient leur ordinaire.
Deux demi-dieux, l'un fils et l'autre père,
De ces oiseaux faisaient leurs favoris.
L'âge liait une amitié sincère
Entre ces gens : les deux pères s'aimaient ;
Les deux enfants, malgré leur cœur frivole,
L'un avec l'autre aussi s'accoutumaient,
Nourris ensemble, et compagnons d'école.
C'était beaucoup d'honneur au jeune perroquet,
Car l'enfant était prince, et son père monarque.
Par le tempérament que lui donna la Parque,
Il aimait les oiseaux. Un moineau fort coquet,
Et le plus amoureux de toute la province,
Faisait aussi sa part des délices du prince.
Ces deux rivaux un jour ensemble se jouants,
Comme il arrive aux jeunes gens,
Le jeu devint une querelle.
Le passereau, peu circonspect,
S'attira de tels coups de bec,
Que, demi-mort et traînant l'aile,
On crut qu'il n'en pourrait guérir.
Le prince indigné fit mourir
Son perroquet. Le bruit en vint au père.
L'infortuné vieillard crie et se désespère,
Le tout en vain, ses cris sont superflus ;
L'oiseau parleur est déjà dans la barque :

Les Deux Perroquets, le Roi et son Fils

Pour dire mieux, l'oiseau ne parlant plus
Fait qu'en fureur sur le fils du monarque
Son père s'en va fondre, et lui crève les yeux.
Il se sauve aussitôt, et choisit pour asile
Le haut d'un pin. Là, dans le sein des dieux,
Il goûte sa vengeance en lieu sûr et tranquille.
Le roi lui-même y court, et dit pour l'attirer :
« Ami, reviens chez moi : que nous sert de pleurer ?
Haine, vengeance, et deuil, laissons tout à la porte.
Je suis contraint de déclarer,
Encor que ma douleur soit forte,
Que le tort vient de nous : mon fils fut l'agresseur.
Mon fils ! non ; c'est le Sort qui du coup est l'auteur.
La Parque avait écrit de tout temps en son livre
Que l'un de nos enfants devait cesser de vivre,
L'autre de voir, par ce malheur.
Consolons-nous tous deux, et reviens dans ta cage. »
Le perroquet dit : « Sire Roi,
Crois-tu qu'après un tel outrage
Je me doive fier à toi ?
Tu m'allègues le Sort : prétends-tu, par ta foi
Me leurrer de l'appât d'un profane langage ?
Mais que la Providence ou bien que le Destin
Règle les affaires du monde
Il est écrit là-haut qu'au faîte de ce pin
Ou dans quelque forêt profonde,
J'achèverai mes jours loin du fatal objet
Qui doit t'être un juste sujet
De haine et de fureur. Je sais que la vengeance
Est un morceau de roi, car vous vivez en dieux.
Tu veux oublier cette offense :
Je le crois : cependant il me faut, pour le mieux
Éviter ta main et tes yeux.
Sire Roi mon ami, va-t'en, tu perds ta peine ;
Ne me parle point de retour :
L'absence est aussi bien un remède à la haine
Qu'un appareil contre l'amour. »

LE MEUNIER, SON FILS ET L'ÂNE

J'ai lu dans quelque endroit qu'un meunier et son fils,
L'un vieillard, l'autre enfant, non pas des plus petits,
Mais garçon de quinze ans, si j'ai bonne mémoire,
Allaient vendre leur âne, un certain jour de foire.
Afin qu'il fût plus frais et de meilleur débit,
On lui lia les pieds, on vous le suspendit ;
Puis cet homme et son fils le portent comme un lustre.
Pauvres gens, idiots, couple ignorant et rustre.
Le premier qui les vit de rire s'éclata.
« Quelle farce, dit-il, vont jouer ces gens-là ?
Le plus âne des trois n'est pas celui qu'on pense. »
Le meunier à ces mots connaît son ignorance ;
Il met sur pieds sa bête, et la fait détaler.
L'âne, qui goûtait fort l'autre façon d'aller,
Se plaint en son patois. Le meunier n'en a cure.
Il fait monter son fils, il suit, et d'aventure
Passent trois bons marchands. Cet objet leur déplut.
Le plus vieux au garçon s'écria tant qu'il put :
« Oh là ! oh ! descendez, que l'on ne vous le dise,
Jeune homme, qui menez laquais à barbe grise.
C'était à vous de suivre, au vieillard de monter.
– Messieurs, dit le meunier, il vous faut contenter. »
L'enfant met pied à terre, et puis le vieillard monte,
Quand trois filles passant, l'une dit : « C'est grand'honte
Qu'il faille voir ainsi clocher ce jeune fils,
Tandis que ce nigaud, comme un évêque assis,
Fait le veau sur son âne, et pense être bien sage.
– Il n'est, dit le meunier, plus de veaux à mon âge :
Passez votre chemin, la fille, et m'en croyez. »
Après maints quolibets coup sur coup renvoyés,
L'homme crut avoir tort, et mit son fils en croupe.
Au bout de trente pas, une troisième troupe
Trouve encore à gloser. L'un dit : « Ces gens sont fous,
Le baudet n'en peut plus ; il mourra sous leurs coups.

Hé quoi ! charger ainsi cette pauvre bourrique !
N'ont-ils point de pitié de leur vieux domestique ?
Sans doute qu'à la foire ils vont vendre sa peau.
– Parbieu ! dit le meunier, est bien fou du cerveau
Qui prétend contenter tout le monde et son père.
Essayons toutefois, si par quelque manière
Nous en viendrons à bout. » Ils descendent tous deux.
L'âne, se prélassant, marche seul devant eux.
Un quidam les rencontre, et dit : « Est-ce la mode
Que baudet aille à l'aise, et meunier s'incommode ?
Qui de l'âne ou du maître est fait pour se lasser ?
Je conseille à ces gens de le faire enchâsser.
Ils usent leurs souliers, et conservent leur âne.
Nicolas au rebours, car, quand il va voir Jeanne,
Il monte sur sa bête ; et la chanson le dit.
Beau trio de baudets ! » Le meunier repartit :
« Je suis âne, il est vrai, j'en conviens, je l'avoue ;
Mais que dorénavant on me blâme, on me loue ;
Qu'on dise quelque chose ou qu'on ne dise rien ;
J'en veux faire à ma tête. » Il le fit, et fit bien.
Quant à vous, suivez Mars, ou l'Amour, ou le Prince ;
Allez, venez, courez ; demeurez en province ;
Prenez femme, abbaye, emploi, gouvernement :
Les gens en parleront, n'en doutez nullement.

Le Meunier, son Fils et l'Âne

LE LOUP PLAIDANT CONTRE LE RENARD PAR-DEVANT LE SINGE

Un loup disait que l'on l'avait volé :
Un renard, son voisin, d'assez mauvaise vie,
Pour ce prétendu vol par lui fut appelé.
Devant le singe il fut plaidé,
Non point par avocats, mais par chaque partie.
Thémis n'avait point travaillé,
De mémoire de singe, à fait plus embrouillé.
Le magistrat suait en son lit de justice.
Après qu'on eut bien contesté,
Répliqué, crié, tempêté,
Le juge, instruit de leur malice,
Leur dit : « Je vous connais de longtemps, mes amis ;
Et tous deux vous paierez l'amende :
Car toi, loup, tu te plains, quoiqu'on ne t'ait rien pris ;
Et toi, renard, as pris ce que l'on te demande. »

Le juge prétendait qu'à tort et à travers
On ne saurait manquer condamnant un pervers.

Quelques personnes de bon sens ont cru que l'impossibilité et la contradiction qui est dans le jugement de ce singe était une chose à censurer ; mais je ne m'en suis servi qu'après Phèdre ; et c'est en cela que consiste le bon mot, selon mon avis.

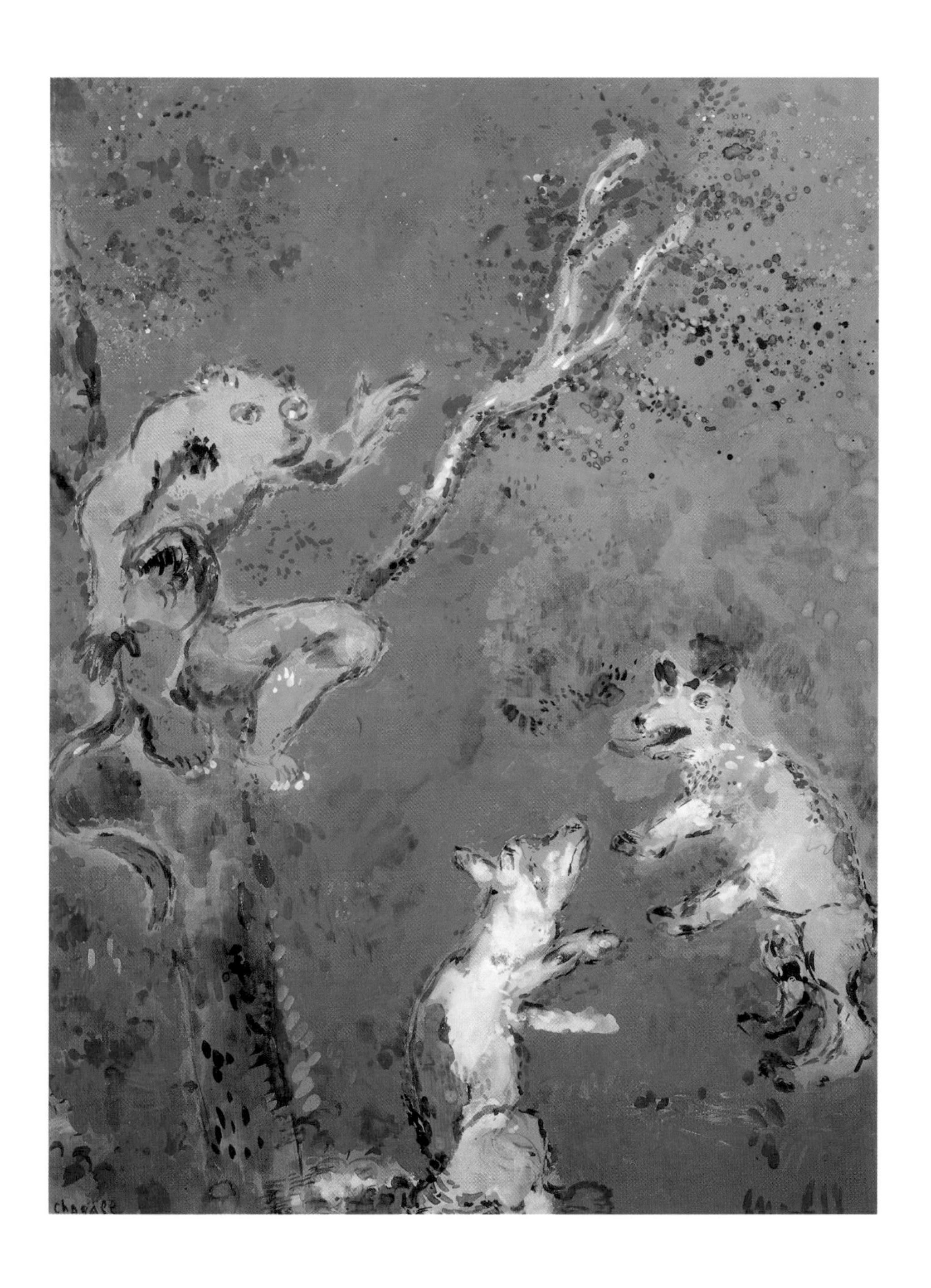

Le Loup plaidant contre le Renard par-devant le Singe

LE CORBEAU VOULANT IMITER L'AIGLE

L'oiseau de Jupiter enlevant un mouton,
Un corbeau témoin de l'affaire,
Et plus faible de reins, mais non pas moins glouton,
En voulut sur l'heure autant faire.
Il tourne à l'entour du troupeau,
Marque entre cent moutons le plus gras, le plus beau,
Un vrai mouton de sacrifice :
On l'avait réservé pour la bouche des dieux.
Gaillard Corbeau disait, en le couvant des yeux :
« Je ne sais qui fut ta nourrice ;
Mais ton corps me paraît en merveilleux état :
Tu me serviras de pâture. »
Sur l'animal bêlant à ces mots il s'abat.
La moutonnière créature
Pesait plus qu'un fromage, outre que sa toison
Était d'une épaisseur extrême,
Et mêlée à peu près de la même façon
Que la barbe de Polyphème.
Elle empêtra si bien les serres du corbeau
Que le pauvre animal ne put faire retraite.
Le berger vient, le prend, l'encage bien et beau,
Le donne à ses enfants pour servir d'amusette.

Il faut se mesurer, la conséquence est nette :
Mal prend aux volereaux de faire les voleurs.
L'exemple est un dangereux leurre :
Tous les mangeurs de gens ne sont pas grands seigneurs ;
Où la guêpe a passé, le moucheron demeure.

Le Corbeau voulant imiter l'Aigle

LE BERGER ET LA MER

Du rapport d'un troupeau dont il vivait sans soins
Se contenta longtemps un voisin d'Amphitrite.
Si sa fortune était petite,
Elle était sûre tout au moins.
À la fin les trésors déchargés sur la plage
Le tentèrent si bien qu il vendit son troupeau,
Trafiqua de l'argent, le mit entier sur l'eau ;
Cet argent périt par naufrage.
Son maître fut réduit à garder les brebis,
Non plus berger en chef comme il était jadis,
Quand ses propres moutons paissaient sur le rivage ;
Celui qui s'était vu Coridon ou Tircis
Fut Pierrot, et rien davantage.
Au bout de quelque temps il fit quelques profits,
Racheta des bêtes à laine ;
Et comme un jour les vents retenant leur haleine
Laissaient paisiblement aborder les vaisseaux :
« Vous voulez de l'argent, ô Mesdames les Eaux,
Dit-il ; adressez-vous, je vous prie, à quelque autre :
Ma foi, vous n'aurez pas le nôtre. »

Ceci n'est pas un conte à plaisir inventé.
Je me sers de la vérité
Pour montrer, par expérience,
Qu'un sou, quand il est assuré,
Vaut mieux que cinq en espérance ;
Qu'il faut se contenter de sa condition ;
Qu'aux conseils de la mer et de l'ambition
Nous devons fermer les oreilles.
Pour un qui s'en louera, dix mille s'en plaindront.
La mer promet monts et merveilles ;
Fiez-vous-y, les vents et les voleurs viendront.

Le Berger et la Mer

LE RIEUR ET LES POISSONS

On cherche les rieurs ; et moi je les évite.
Cet art veut sur tout autre un suprême mérite.
Dieu ne créa que pour les sots
Les méchants diseurs de bons mots.
J'en vais peut-être en une fable
Introduire un ; peut-être aussi
Que quelqu'un trouvera que j'aurai réussi.

Un rieur était à la table
D'un financier ; et n'avait en son coin
Que de petits poissons : tous les gros étaient loin.
Il prend donc les menus, puis leur parle à l'oreille,
Et puis il feint, à la pareille,
D'écouter leur réponse. On demeura surpris :
Cela suspendit les esprits.
Le rieur alors d'un ton sage
Dit qu'il craignait qu'un sien ami
Pour les grandes Indes parti,
N'eût depuis un an fait naufrage.
Il s'en informait donc à ce menu fretin :
Mais tous lui répondaient qu'ils n'étaient pas d'un âge
À savoir au vrai son destin ;
Les gros en sauraient davantage.
« N'en puis-je donc, Messieurs, un gros interroger ? »
De dire si la compagnie
Prit goût à la plaisanterie,
J'en doute ; mais enfin, il les sut engager
À lui servir d'un monstre assez vieux pour lui dire
Tous les noms des chercheurs des mondes inconnus
Qui n'en étaient pas revenus,
Et que depuis cent ans sous l'abîme avaient vus
Les anciens du vaste empire.

Le Rieur et les Poissons

L'OURS ET L'AMATEUR DES JARDINS

Certain ours montagnard, ours à demi léché,
Confiné par le Sort dans un bois solitaire,
Nouveau Bellérophon, vivait seul et caché :
Il fût devenu fou : la raison d'ordinaire
N'habite pas longtemps chez les gens séquestrés.
Il est bon de parler, et meilleur de se taire ;
Mais tous deux sont mauvais alors qu'ils sont outrés.
Nul animal n'avait affaire
Dans les lieux que l'ours habitait ;
Si bien que tout ours qu'il était
Il vint à s'ennuyer de cette triste vie.
Pendant qu'il se livrait à la mélancolie,
Non loin de là certain vieillard
S'ennuyait aussi de sa part.
Il aimait les jardins, était prêtre de Flore,
Il l'était de Pomone encore :
Ces deux emplois sont beaux ; mais je voudrais parmi
Quelque doux et discret ami.
Les jardins parlent peu, si ce n'est dans mon livre ;
De façon que, lassé de vivre
Avec des gens muets, notre homme un beau matin
Va chercher compagnie, et se met en campagne.
L'ours porté d'un même dessein
Venait de quitter sa montagne :
Tous deux, par un cas surprenant,
Se rencontrent en un tournant.
L'homme eut peur : mais comment esquiver ? et que faire ?
Se tirer en Gascon d'une semblable affaire
Est le mieux : il sut donc dissimuler sa peur.
L'ours, très mauvais complimenteur,
Lui dit : « Viens-t'en me voir. » L'autre reprit : « Seigneur,
Vous voyez mon logis ; si vous me vouliez faire
Tant d'honneur que d'y prendre un champêtre repas,
J'ai des fruits, j'ai du lait : ce n'est peut-être pas

L'Ours et l'Amateur des jardins

De Nosseigneurs les Ours le manger ordinaire ;
Mais j'offre ce que j'ai. » L'ours l'accepte ; et d'aller.
Les voilà bons amis avant que d'arriver.
Arrivés, les voilà se trouvant bien ensemble ;
Et bien qu'on soit à ce qu'il semble
Beaucoup mieux seul qu'avec des sots,
Comme l'ours en un jour ne disait pas deux mots,
L'homme pouvait sans bruit vaquer à son ouvrage.
L'ours allait à la chasse, apportait du gibier,
Faisait son principal métier
D'être bon émoucheur, écartait du visage
De son ami dormant ce parasite ailé
Que nous avons mouche appelé.
Un jour que le vieillard dormait d'un profond somme,
Sur le bout de son nez une allant se placer
Mit l'ours au désespoir ; il eut beau la chasser :
« Je t'attraperai bien, dit-il. Et voici comme. »
Aussitôt fait que dit : le fidèle émoucheur
Vous empoigne un pavé, le lance avec roideur,
Casse la tête à l'homme en écrasant la mouche,
Et non moins bon archer que mauvais raisonneur,
Roide mort étendu sur la place il le couche.

Rien n'est si dangereux qu'un ignorant ami ;
Mieux vaudrait un sage ennemi.

LA SOURIS MÉTAMORPHOSÉE EN FILLE

Une souris tomba du bec d'un chat-huant :
Je ne l'eusse pas ramassée ;
Mais un bramin le fit ; je le crois aisément :
Chaque pays a sa pensée.
La souris était fort froissée.
De cette sorte de prochain
Nous nous soucions peu. Mais le peuple bramin
Le traite en frère ; ils ont en tête
Que notre âme au sortir d'un roi,
Entre dans un ciron, ou dans telle autre bête
Qu'il plaît au Sort. C'est là l'un des points de leur loi.
Pythagore chez eux a puisé ce mystère.
Sur un tel fondement le bramin crut bien faire
De prier un sorcier qu'il logeât la souris
Dans un corps qu'elle eût eu pour hôte au temps jadis.
Le sorcier en fit une fille
De l'âge de quinze ans, et telle, et si gentille,
Que le fils de Priam pour elle aurait tenté
Plus encor qu'il ne fit pour la grecque beauté.
Le bramin fut surpris de chose si nouvelle.
Il dit à cet objet si doux :
« Vous n'avez qu'à choisir ; car chacun est jaloux
De l'honneur d'être votre époux.
– En ce cas je donne, dit-elle,
Ma voix au plus puissant de tous.
– Soleil, s'écria lors le bramin à genoux,
C'est toi qui sera notre gendre.
– Non, dit-il, ce nuage épais
Est plus puissant que moi, puisqu'il cache mes traits ;
Je vous conseille de le prendre.
– Eh bien, dit le bramin au nuage volant,
Es-tu né pour ma fille ? – Hélas non; car le vent
Me chasse à son plaisir de contrée en contrée ;

Je n'entreprendrai point sur les droits de Borée. »
Le bramin fâché s'écria :
« Ô vent donc, puisque vent y a,
Viens dans les bras de notre belle ! »
Il accourait : un mont en chemin l'arrêta.
L'éteuf passant à celui-là,
Il le renvoie, et dit : « J'aurais une querelle
Avec le rat ; et l'offenser
Ce serait être fou, lui qui peut me percer. »
Au mot de rat, la damoiselle
Ouvrit l'oreille ; il fut l'époux.
Un rat ! un rat ! c'est de ces coups
Qu'amour fait, témoin telle et telle.
Mais ceci soit dit entre nous.

On tient toujours du lieu dont on vient. Cette fable
Prouve assez bien ce point; mais à la voir de près,
Quelque peu de sophisme entre parmi ses traits :
Car quel époux n'est point au soleil préférable
En s'y prenant ainsi ? Dirai-je qu'un géant
Est moins fort qu'une puce ? elle le mord pourtant.
Le rat devait aussi renvoyer, pour bien faire,
La belle au chat, le chat au chien,
Le chien au loup. Par le moyen
De cet argument circulaire,
Pilpay jusqu'au soleil eût enfin remonté ;
Le soleil eût joui de la jeune beauté.
Revenons, s'il se peut, à la métempsycose :
Le sorcier du bramin fit sans doute une chose
Qui, loin de la prouver, fait voir sa fausseté.
Je prends droit là-dessus contre le bramin même :
Car il faut, selon son système,
Que l'homme, la souris, le ver, enfin chacun
Aille puiser son âme en un trésor commun :
Toutes sont donc de même trempe;

La Souris métamorphosée en fille

Mais agissant diversement
Selon l'organe seulement
L'une s'élève, et l'autre rampe.
D'où vient donc que ce corps si bien organisé
Ne put obliger son hôtesse
De s'unir au soleil ? Un rat eut sa tendresse.
Tout débattu, tout bien pesé,
Les âmes des souris et les âmes des belles
Sont très différentes entre elles.
Il en faut revenir toujours à son destin,
C'est-à-dire à la loi par le Ciel établie.
Parlez au diable, employez la magie,
Vous ne détournerez nul être de sa fin.

On trouvera ci-après la liste alphabétique (de la première lettre du premier mot suivant l'article) des cent *Fables* illustrées par Chagall.
Les titres suivis d'un astérique (*) correspondent aux gouaches présentées dans l'une ou/et l'autre des expositions qui ont eu lieu à Céret et à Nice.
La présente publication n'a pas pu adjoindre à chaque fable la reproduction en noir et blanc des illustrations de Chagall. Le lecteur est donc renvoyé soit aux trente-neuf vignettes reproduites dans l'ouvrage de Franz Meyer (dont seulement dix-huit ne figurent pas ici) soit, en tant qu'analogies, aux cent planches de l'édition Tériade. Cette comparaison est d'autant plus aisée que les illustrations originales en couleur et les eaux-fortes présentent le même sens de lecture, sans inversion droite-gauche. Toutes ces illustrations sont des gouaches, soit sur papier blanc, soit sur papier teinté. Leurs dimensions sont très identiques : cinquante centimètres (plus ou moins un centimètre) de hauteur, quarante centimètres (plus ou moins un centimètre) de largeur ; afin d'alléger la liste, ces données n'ont pas été répétées pour chaque notice. L'entrée « historique collections » comprend tout à la fois les localisations avérées et les références des passages de ces gouaches dans des ventes aux enchères : ces dernières permettent, en effet, de dater le moment où la trace de certaines gouaches a été perdue.
L'entrée « historique expositions » exclut, évidemment, les trois étapes de la première et unique monstration intégrale (février 1930 à Paris, mars 1930 à Bruxelles et avril 1930 à Berlin).
L'entrée « historique bibliographie » concerne toutes les autres publications recensées (journaux, revues et ouvrages).

Les cent gouaches de Chagall pour les *Fables* de La Fontaine

L'AIGLE ET L'ESCARBOT

Collection particulière, États-Unis
Bernheim n° 98
Hist. collections
Collection Christian de Galea, Paris
Hist. expositions
Marc Chagall, Fondation Anne et Albert Prouvost, Marcq-en-Barœul, 2 octobre-15 décembre 1975

L'AIGLE ET LE HIBOU

Localisation actuelle inconnue
Bernheim n°15

L'AIGLE, LA LAIE ET LA CHATTE *

Collection Roberto Casamonti, Florence
Meyer n° 424
Bernheim n° 40
Hist. collections
Vente Sotheby's, Londres, lot n° 200, 5 décembre 1979
Hist. expositions
Marc Chagall, Palazzo dei Diamanti, Ferrare, 20 septembre 1992-3 janvier 1993
Bibliographie
Franz Meyer, *Marc Chagall*, Flammarion, Paris, 1964

L'ALOUETTE ET SES PETITS, AVEC LE MAÎTRE D'UN CHAMP

Localisation actuelle inconnue (Japon ?)
Bernheim n° 9
Hist. collections
Vente Drouot, Paris, lot n° 11, 23 novembre 1987
Vente Göteborgs Auktionsverk, lot n° 571, 13 avril 1988
Vente Christie's, Londres, lot n° 388, 29 novembre 1988
Vente Christie's, Londres, lot n° 189, 27 juin 1989

L'ÂNE CHARGÉ D'ÉPONGES ET L'ÂNE CHARGÉ DE SEL*

Collection particulière (Paris), prêté par l'intermédiaire de la galerie Bernheim-Jeune, Paris
Bernheim n° 65
Hist. expositions
Marc Chagall, Fondation Anne et Albert Prouvost, Marcq-en-Barœul, 2 octobre-15 décembre 1975
Marc Chagall, Kunsthaus, Zürich, 6 mai-30 juillet 1967

L'ÂNE ET LE CHIEN *

Collection particulière (Paris), prêté par l'intermédiaire de la galerie Bernheim-Jeune, Paris
Meyer n° 445
Bernheim n° 64
Bibliographie
Franz Meyer, *Marc Chagall*, Flammarion, Paris, 1964
Walter Erben, *Marc Chagall : der Maler mit den Engelsflugeln*, Prestel-Verlag, Munich, 1957

L'ÂNE VÊTU DE LA PEAU DU LION

Localisation actuelle inconnue
Bernheim n° 36
Hist. collections
Vente galerie Motte, Genève, 25 mai 1963
Vente Palais Galliera, Paris, lot n° 16, 6 décembre 1963
Vente Sotheby's, Londres, lot n° 239, 2 juillet 1975
Bibliographie
Jean Cassou, *Chagall*, Thames and Hudson, Londres, 1965

L'AVARE QUI A PERDU SON TRÉSOR

Localisation actuelle inconnue
Meyer n° 443
Bernheim n° 33
Hist. collections
Collection Alex Maguy (?), Paris
Hist. expositions
Marc Chagall, O'Hana Gallery, Londres, juin-août 1961
Bibliographie
Franz Meyer, *Marc Chagall*, Flammarion, Paris, 1964

LE BERGER ET LA MER

Localisation actuelle inconnue (États-Unis ?)
Meyer n° 418
Bernheim n° 22
Hist. collections
Collection J.-P. Durand-Matthiesen, Genève, 1964
Perls Galleries, New York, 1965-1994
Vente Christie's, New York, lot n° 250, 11 mai 1994
Hist. expositions
Marc Chagall, Kunstverein, Hambourg, 6 février-22 mars 1959
Haus der Kunst, Munich, 7 avri-31 mai 1959
Musée des Arts décoratifs, Paris, 14 juin-septembre 1959
Bibliographie
Franz Meyer, *Marc Chagall*, Flammarion, Paris, 1964

LE BERGER ET SON TROUPEAU

Localisation actuelle inconnue
Bernheim n° 39
Bibliographie
André de Ridder, « La Fontaine vu par Chagall », *Variétés*, Bruxelles, 15 février 1930, vol. II, n° 10

LE BÛCHERON ET MERCURE

Localisation actuelle inconnue
Bernheim n° 1
Hist. collections
Collection Jean Paulhan, Paris
Vente Sotheby's, Londres, lot n° 54, 2 juillet 1970
Bibliographie
André de Ridder, « La Fontaine vu par Chagall », *Variétés*, Bruxelles, 15 février 1930, vol. II, n° 10
Burlington Magazine, Londres, juin 1970
Werner Haftmann, *Marc Chagall, gouaches, dessins, aquarelles*, Éditions du Chêne, Paris, 1975

LE CERF ET LA VIGNE

Localisation actuelle inconnue
Bernheim n° 12
Vente Briest, Paris, lot n° 23, 21 novembre 1995

LE CERF MALADE

Localisation actuelle inconnue
Meyer n° 420
Bernheim n° 23
Hist. collections
Hammer Gallery, New York (vers 1964)
Bibliographie
Franz Meyer, *Marc Chagall*, Flammarion, Paris, 1964

LE CERF SE VOYANT DANS L'EAU

Localisation actuelle inconnue
Bernheim n° 18

LE CHAMEAU ET LES BÂTONS FLOTTANTS

Localisation actuelle inconnue
Bernheim n° 50
Hist. collections
Vente Kunsthaus, Lempertz, Cologne, lot n°108, 5 juin 1982

LE CHARLATAN

Localisation actuelle inconnue
Meyer n° 448
Bernheim n° 52
Bibliographie
Franz Meyer, *Marc Chagall*, Flammarion, Paris, 1964

LE CHARTIER EMBOURBÉ

Localisation actuelle inconnue
Meyer n° 431
Bernheim n° 30
Hist. collections
Galerie Beyeler, Bâle
Collection Silvan Kocher, Soleure, 1967
Vente Christie's, Londres, lot n° 162, 26 juin 1990
Hist. expositions
Chagall, Kunsthaus, Zurich, 6 mai-30 juillet 1967
Bibliographie
Franz Meyer, *Marc Chagall*, Flammarion, Paris, 1964

LE CHAT ET LES DEUX MOINEAUX

Localisation actuelle inconnue
Bernheim n° 27
Hist. collections
Vente Ader-Picard-Tajan, Paris, lot n° 2, 15 juin 1977
Hist. expositions
De l'impressionnisme à nos jours, aquarelles, pastels, gouaches, musée national d'Art moderne, Paris, juin 1958
French Paintings since 1900, French Private Collections in France, Royal Academy of Arts, Londres, 1963

LA CHATTE MÉTAMORPHOSÉE EN FEMME*

Collection particulière, France
Meyer n° 444
Bernheim n° 62
Hist. collections
Collection particulière, France, 1964
Vente hôtel des ventes, Enghien-les-Bains, lot n° 94, 18 novembre 1979
Bibliographie
André Salmon, *Chagall*, Éditions des Chroniques du jour, Paris, 1928
Franz Meyer, *Marc Chagall*, Flammarion, Paris, 1964

LE CHÊNE ET LE ROSEAU

Localisation actuelle inconnue
Meyer n° 429
Bernheim n° 48
Hist. collections
Collection Alex Maguy, Paris
Vente Sotheby's, Londres, lot n° 62, 20 novembre 1968
Bibliographie
Franz Meyer, *Marc Chagall*, Flammarion, Paris, 1964

LE CHEVAL ET L'ÂNE*

Collection particulière, Paris
Bernheim n° 42
Hist. collections
Collection Arland

LE CHEVAL S'ÉTANT VOULU
VENGER DU CERF

Localisation actuelle inconnue
Bernheim n° 32

LE CHIEN QUI PORTE À SON COU
LE DÎNÉ DE SON MAÎTRE

Localisation actuelle inconnue
Hist. collections
Galerie Maeght, Paris
Vente Sotheby's, New York, lot n° 42, 18 décembre 1968
Vente Sotheby's, New York, lot n° 88, 4 février 1970
Bibliographie
Burlington Magazine, Londres, décembre 1968

LE COQ ET LA PERLE

Localisation actuelle inconnue
Bernheim n° 79

LE COQ ET LE RENARD*

Collection particulière
Bernheim n° 95
Hist. collections
Vente Sotheby's, Londres, lot n° 34, 29 juin 1973

LE CORBEAU ET LE RENARD

Localisation actuelle inconnue
Bernheim n° 91

LE CORBEAU VOULANT IMITER L'AIGLE*

Musée Léon-Dierx,
Saint-Denis, La Réunion
Bernheim n° 80
Hist. collections
Collection Ambroise Vollard, Paris
Collection Lucien Vollard, Paris
Hist. expositions
Le Legs Vollard, musée Léon-Dierx,
Saint-Denis de la Réunion, septembre 1970

LE CURÉ ET LE MORT*

Musée d'Art moderne de la Ville de Paris
Meyer n° 440
Bernheim n° 55
Hist. collections
Collection Sarmiento
Hist. expositions
Marc Chagall, Fondation Anne et Albert Prouvost,
Marcq-en-Barœul, 2 octobre-15 décembre 1975
Susan Compton, *Marc Chagall, mein Leben, mein
Traum*, Wilhelm-Hack Museum, Ludwigshafen,
7 avril-3 juin 1990
Marc Chagall et les Fables de La Fontaine, musée du
Pays de Sarrebourg, 15 mai-15 juillet 1992
Marc Chagall, Palazzo dei Diamanti, Ferrare,
20 septembre 1992-3 janvier 1993
Bibliographie
Franz Meyer, *Marc Chagall*, Flammarion, Paris, 1964
Werner Haftmann, *Marc Chagall*, Nouvelles Éditions
françaises, Paris

LE CYGNE ET LE CUISINIER

Collection particulière (Amérique du Sud ?)
Bernheim n° 17
Hist. collections
Galerie Flechtheim, Düsseldorf
Vente Sotheby's, Londres, lot n° 375, 27 mars 1985
Waddington Galleries Ltd, Londres

LES DEUX CHÈVRES

Localisation actuelle inconnue
Meyer n° 419
Bernheim n° 10
Bibliographie
Franz Meyer, *Marc Chagall*, Flammarion, Paris, 1964

LES DEUX COQS

Localisation actuelle inconnue
Bernheim n° 12
Bibliographie
André Salmon, *Chagall*, Éditions des Chroniques du
jour, Paris, 1928

LES DEUX MULETS

Collection particulière, Zurich
Bernheim n° 97
Hist. collections
Collection Harry Fuld, Berlin-Wiesbaden
Collection Meta Gadesmann

LES DEUX PERROQUETS, LE ROI
ET SON FILS

Collection particulière, Londres
Meyer n° 441
Bernheim n° 99
Hist. collections
Collection Pellequer, Paris
vente Drouot-Richelieu, Paris, lot n° 117,
1[illegible] décembre 1994 (Me Marc Ferri)
Vente Sotheby's, Tel-Aviv, lot n° 37, 22 avril 1995
Bibliographie
Franz Meyer, *Marc Chagall*, Flammarion, Paris, 1964

LES DEUX PIGEONS

Localisation actuelle inconnue
Bernheim n° 38

LES DEUX TAUREAUX ET
UNE GRENOUILLE*

Collection particulière, Suisse
Meyer n° 438
Bernheim n° 2
Hist. collections
Collection Max et Denise Harari, Paris
Hist. expositions
Hommage à Marc Chagall, Grand Palais, Paris,
décembre 1969-mars 1970
Marc Chagall, O'Hana Gallery, Londres, juin-août 1961
La Grande Aventure de Montparnasse, Kanagawa,
Kumamoto, Gunma, Ehime, novembre 1988-avril 1989
Bibliographie
Franz Meyer, *Marc Chagall*, Flammarion, Paris, 1964

LES DEVINERESSES

Localisation actuelle inconnue
Meyer n° 451
Bernheim n° 76
Bibliographie
André Salmon, *Chagall*, Éditions des Chroniques du
jour, Paris, 1928
Franz Meyer, *Marc Chagall*, Flammarion, Paris, 1964

L'ENFANT ET LE MAÎTRE D'ÉCOLE

Collection particulière (Allemagne ?)
Meyer n° 442
Bernheim n° 7
Bibliographie
André de Ridder, « La Fontaine vu par Chagall »,
Variétés, Bruxelles, 15 février 1930, vol. II, n° 10
Franz Meyer, *Marc Chagall*, Flammarion, Paris, 1964

LA FEMME NOYÉE

Collection particulière, Prague
Bernheim n° 19
Hist. collections
Narodni Galerie, Prague
Hist. expositions
Marc Chagall, Staatliche Kunstsammlungen, Dresde,
11 septembre-14 novembre 1976

LES FEMMES ET LE SECRET

Localisation actuelle inconnue
Bernheim n° 75
Hist. collections
Galerie Bernheim-Jeune, Paris
Galerie Waring Hopkins et Alain Thomas
Nico de Jong Van Wisselingh & Co
Vente Sotheby's, New York, lot n° 60, 11 mai 1994

LA FILLE

Localisation actuelle inconnue (Belgique?)
Bernheim n° 25
Hist. collections
Collection Jacques Bolle, Bruxelles
Hist. expositions
Le Centaure, musée d'Ixelles, Bruxelles,
février-mars 1963

LA FORTUNE ET LE JEUNE ENFANT

Localisation actuelle inconnue
Meyer n° 436
Bernheim n° 37
Hist. collections
Collection Harry Lewis Winston, Detroit
Hist. expositions
Marc Chagall, The Solomon R. Guggenheim
Museum, New York, 8 juin-28 septembre 1975
Bibliographie
Franz Meyer, *Marc Chagall*, Flammarion,
Paris, 1964

LE FOU QUI VEND SA SAGESSE

Localisation actuelle inconnue
Meyer n° 452
Bernheim n° 29
Hist. collections
Collection James B. Alsdorf, Winnetka, Illinois (vers 1960)
Hist. expositions
Marc Chagall, Kunstverein, Hambourg, 6 février-22 mars 1959
Haus der Kunst, Munich, 7 avril-31 mai 1959
Musée des Arts décoratifs, Paris, 14 juin-septembre 1959
Bibliographie
Franz Meyer, *Marc Chagall*, Flammarion, Paris, 1964

LE GEAI PARÉ DES PLUMES DU PAON

localisation actuelle inconnue
Bernheim n° 86

LA GÉNISSE, LA CHÈVRE ET LA BREBIS, EN SOCIÉTÉ AVEC LE LION

Localisation actuelle inconnue
Bernheim n° 93
Hist. collections
Collection Rosensaft, Montreux

LA GRENOUILLE QUI VEUT SE FAIRE AUSSI GROSSE QUE LE BŒUF*

Musées royaux des Beaux-Arts de Belgique, Bruxelles
Bernheim n° 28
Hist. collections
Acquis par la galerie Le Centaure, Bruxelles
Vente galerie Georges Giroux, Bruxelles, lot n° 29, 17 octobre 1932
Collection Louis Lazard, Bruxelles, 1932-1950
Hist. expositions
Œuvres de Walter Vaes, Marc Chagall, salle des fêtes Meir, Anvers, 11 avril-15 mai 1931
XXXIe Salon, Cercle royal et artistique et littéraire de Charleroi, 23 mars-11 avril 1957
Marc Chagall, Kunstverein, Hambourg, 6 février-22 mars 1959
Haus der Kunst, Munich, 7 avril-31 mai 1959
Musée des Arts décoratifs, Paris, 14 juin-septembre 1959
Meesterwerken van het Museum voor Moderne Kunst te Brussel, Stedelijk Museum voor Schone Kunsten, Bruges, 18 février-19 mars 1961
Aquarelles, gouaches et pastels du XIXe siècle à nos jours, musées royaux des Beaux-Arts de Belgique, Bruxelles, 25 janvier-19 avril 1964
Chagall et le Théâtre, musée des Augustins, Toulouse, 15 juin-15 septembre 1967
Art du XXe siècle, palais des Beaux-Arts, Bruxelles, 14 juillet-4 septembre 1977
Marc Chagall et les Fables de La Fontaine, musée du Pays de Sarrebourg, 15 mai-15 juillet 1992

LES GRENOUILLES QUI DEMANDENT UN ROI

Localisation actuelle inconnue
Bernheim n° 31

LE HÉRON

Localisation actuelle inconnue
Bernheim n° 54
Hist. collections
Galerie Vöme, Düsseldorf
Vente Christie's, Londres, lot n° 204, 28 juin 1983
Vente galerie Kornfeld, Berne, lot n° 10, 23 juin 1989
Vente Christie's, Londres, lot n° 190, 22 juin 1993

L'HOMME ET L'IDOLE DE BOIS

Localisation actuelle inconnue
Bernheim n° 47
Hist. collections
Vente palais Galliera, Paris, lot n° 108, 9 décembre 1963
Vente palais Galliera, Paris, lot n° 54, 23 juin 1964 (Mes Laurin, Guilloux et Buffetaud)

L'HOMME ET SON IMAGE*

Collection particulière
Meyer n° 437
Bernheim n° 45
Hist. collections
Collection Justin K. Thannhauser, New York, puis Genève
Hist. expositions
Chagall et le Théâtre, musée des Augustins, Toulouse, 15 juin-15 septembre 1967
Bibliographie
Franz Meyer, *Marc Chagall*, Flammarion, Paris, 1964

L'IVROGNE ET SA FEMME

Localisation actuelle inconnue
Meyer n° 453
Bernheim n° 69
Hist. collections
Vente Sotheby's, Londres, lot n° 487, 3 décembre 1986
Galerie Rosengart, Lucerne, 1990
Vente hôtel Richmond, Genève, lot n° 9, 18 décembre 1990 (Me Marc-Arthur Kohn)
Hist. expositions
Susan Compton, *Marc Chagall, mein Leben, mein Traum*, Wilhelm-Hack Museum, Ludwigshafen, 7 avril-3 juin 1990
Bibliographie
Franz Meyer, *Marc Chagall*, Flammarion, Paris, 1964

LA JEUNE VEUVE

Localisation actuelle inconnue
Meyer n° 456
Bernheim n° 6
Hist. collections
Collection Irène Monferrato, Paris, 1959
Collection particulière, Cannes, 1964
Vente Ader-Picard-Tajan, Paris, lot n° 3, 17 juin 1976
Hist. expositions
Marc Chagall, Kunstverein, Hambourg, 6 février-22 mars 1959
Haus der Kunst, Munich, 7 avril-31 mai 1959
Musée des Arts décoratifs, Paris, 14 juin-septembre 1959
Bibliographie
Franz Meyer, *Marc Chagall*, Flammarion, Paris, 1964

LA LAITIÈRE ET LE POT AU LAIT

Localisation actuelle inconnue
Bernheim n° 71

LA LICE ET SA COMPAGNE

Localisation actuelle inconnue
Bernheim n° 41
Hist. collections
Collection Louis Camu, Aalst-Ronsevaal
Hist. expositions
Marc Chagall, Kunstverein, Hambourg, 6 février-22 mars 1959
Haus der Kunst, Munich 7 avril-31 mai 1959
Musée des Arts décoratifs, Paris, 14 juin-septembre 1959

LE LIÈVRE ET LES GRENOUILLES*

Collection particulière, Suisse
Bernheim n° 82
Hist. collections
Collection Max et Denise Harari, Paris
Hist. expositions
Marc Chagall, O'Hana Gallery, Londres, juin-août 1961
La Grande Aventure de Montparnasse, Kanagawa, Kumamoto, Gunma, Ehime, novembre 1988-avril 1989

LE LION AMOUREUX

Localisation actuelle inconnue
Meyer n° 454
Bernheim n° 63
Hist. collections
Collection Michel Dauberville, Paris
Collection Sam Salz, New York
Vente Sotheby's, Londres, lot n° 238, 5 juillet 1975
Bibliographie
Franz Meyer, *Marc Chagall*, Flammarion, Paris, 1964

LE LION DEVENU VIEUX*

Collection particulière, Suisse
Meyer n° 433
Bernheim n° 11
Hist. collections
Collection Max et Denise Harari, Paris
Hist. expositions
Marc Chagall, O'Hana Gallery, Londres, juin-août 1961
Chagall, Kunsthaus, Zurich, 6 mai-30 juillet 1967
Hommage à Marc Chagall, Grand Palais, Paris, décembre 1969-mars 1970
Marc Chagall, Budapest, 14 octobre-5 novembre 1972
La Grande Aventure de Montparnasse, Kanagawa, Kumamoto, Gunma, Ehime, novembre 1988-avril 1989
Bibliographie
André Salmon, *Chagall*, Éditions des Chroniques du jour, Paris, 1928
Walter Erben, *Marc Chagall : der Maler mit den Engelsflugeln*, Prestel-Verlag, Munich, 1957
Franz Meyer, *Marc Chagall*, Flammarion, Paris, 1964
Raymond Cogniat, *Chagall*, Flammarion, Paris, 1968
Werner Haftmann, *Chagall*, Éditions Cercle d'art, Paris, 1975
Werner Haftmann, *Marc Chagall*, Nouvelles Éditions françaises, Paris

LE LION ET L'ÂNE CHASSANT

Localisation actuelle inconnue
Meyer n° 439
Hist. collections
Chester H. Johnson Gallery, Chicago
Vente Sotheby's, Londres, lot n° 102a, 3 décembre 1970
Bibliographie
Franz Meyer, *Marc Chagall*, Flammarion, Paris, 1964

LE LION ET LE CHASSEUR

Localisation actuelle inconnue
Meyer n° 425
Bernheim n° 57
Hist. collections
Collection James Wise, Genève (vers 1940)
Bibliographie
André de Ridder, « La Fontaine vu par Chagall », *Variétés*, Bruxelles, 15 février 1930, vol. II, n° 10
Franz Meyer, *Marc Chagall*, Flammarion, Paris, 1964

LE LION ET LE MOUCHERON

Localisation actuelle inconnue
Meyer n° 426
Bernheim n° 4
Hist. collections
Collection Irène Monferrato, Paris, 1959
Collection particulière, Cannes, 1964
Vente hôtel George-V, Paris, 17 juin 1976
Vente Ader-Picard-Tajan, Paris, lot n° 5, 28 février 1978
Galerie Katia Granoff, Paris, 1980
Vente Christie's, New York, lot n° 172, 12 novembre 1992
Hist. expositions
Marc Chagall, Kunstverein, Hambourg, 6 février-22 mars 1959
Haus der Kunst, Munich, 7 avril-31 mai 1959
Musée des Arts décoratifs, Paris, 14 juin-septembre 1959
Bibliographie
André de Ridder, « La Fontaine vu par Chagall », *Variétés*, Bruxelles, 15 février 1930, vol. II, n° 10
Franz Meyer, *Marc Chagall*, Flammarion, Paris, 1964

LE LION ET LE RAT

National Gallery of Victoria, Melbourne
Bernheim n° 5

LE LION S'EN ALLANT À LA GUERRE

Localisation actuelle inconnue
Bernheim n° 70
Hist. collections
Chester H. Johnson Galleries, Chicago
Van Diemen-Lilienfeld Galleries, New York
Collection Owen R. Skelton, Grosse Pointe, Michigan
Vente Sotheby's, New York, lot n° 165, 10 mai 1989

LE LOUP DEVENU BERGER*

Collection particulière
Meyer n° 434
Bernheim n° 58
Hist. collections
Collection Sydney Kobrinsky, Winnipeg (vers 1960)
Galerie E. J. Van Wisselingh et C°, Amsterdam
Bibliographie
André de Ridder, « La Fontaine vu par Chagall », *Variétés*, Bruxelles, 15 février 1930, vol. II, n° 10
Franz Meyer, *Marc Chagall*, Flammarion, Paris, 1964

LE LOUP ET L'AGNEAU*

Collection particulière
Bernheim n° 92
Hist. collections
Collection Louis Solvay, Paris
Vente Sotheby's, Londres, lot n° 141, 4 décembre 1991

LE LOUP ET LA CIGOGNE*

Collection particulière, Allemagne
Bernheim n° 78
Hist. collections
Vente galerie Koller, Zürich, lot n° 5136, 20 novembre 1987

LE LOUP PLAIDANT CONTRE LE RENARD PAR-DEVANT LE SINGE

Localisation actuelle inconnue
Bernheim n° 87
Hist. collections
Galerie Percier, Paris, 1967
Collection particulière, Israël, 1980
Perls Galleries, New York
Vente Sotheby's, New York, lot n° 138, 14 novembre 1985
Hist. expositions
Marc Chagall, Moderna Museet, Stockholm, 25 septembre-5 décembre 1982

LE LOUP, LA CHÈVRE ET LE CHEVREAU

Localisation actuelle inconnue
Bernheim n° 21

LE LOUP, LA MÈRE ET L'ENFANT*

Collection particulière, Genève
Bernheim n° 68
Hist. collections
Collection Maurice Harris, Londres, 1961-1967
O'Hana Gallery, Londres, 1967
Collection particulière, Munich
Vente Sotheby's, Londres, lot n° 235, 2 juillet 1975
Vente Sotheby's, Londres, lot n° 226, 2 décembre 1981
Vente Sotheby's, Londres, lot n° 154, 29 juin 1983
Galerie Beyeler, Bâle
Galerie Herbert Goldman, Haïfa
Hist. expositions
Marc Chagall, Kunsthaus, Zurich, 9 décembre 1950-28 janvier 1951
Marc Chagall, O'Hana Gallery, Londres, juin-août 1961
Chagall, Kunsthaus, Zurich, 6 mai-30 juillet 1967
Marc Chagall, Kunsthalle, Cologne, 2 septembre-31 octobre 1967
Marc Chagall, galerie Beyeler, Bâle, novembre 1984-février 1985
Susan Compton, *Marc Chagall, mein Leben, mein Traum*, Wilhelm-Hack Museum, Ludwigshafen, 7 avril-3 juin 1990

LES LOUPS ET LES BREBIS

Localisation actuelle inconnue
Bernheim n° 43
Hist. collections
Vente Ader-Picard-Tajan, Tōkyō, lot n° 4, 7 décembre 1989

LE MEUNIER, SON FILS ET L'ÂNE*

Collection particulière, Bâle
Bernheim n° 88
Hist. collections
Collection Helena Rubinstein, New York
Vente Parke Bernet, lot n° 52, 20 avril 1966
Vente Sotheby's, New York, lot n° 34, 18 octobre 1973
Hist. expositions
XXth International Exhibition of Watercolours, Art Institute, Chicago, 1941
Chagall, Museum of Modern Art, New York, 1946
Bibliographie
Werner Haftmann, *Marc Chagall, gouaches, dessins, aquarelles*, Éditions du Chêne, Paris, 1975

LA MORT ET LE BÛCHERON

Localisation actuelle inconnue
Meyer n° 446
Bernheim n° 34
Hist. collections
Collection David, Paris (vers 1960)
Bibliographie
Franz Meyer, *Marc Chagall*, Flammarion, Paris, 1964

LA MORT ET LE MALHEUREUX

Localisation actuelle inconnue
Bernheim n° 56

LES OBSÈQUES DE LA LIONNE

Localisation actuelle inconnue
Bernheim n° 13

L'ŒIL DU MAÎTRE*

Collection particulière, Suisse
Bernheim n° 49
Hist. collections
Collection Max et Denise Harari, Paris
Hist. expositions
Marc Chagall, O'Hana Gallery, Londres, juin-août 1961
La Grande Aventure de Montparnasse, Kanagawa, Kumamoto, Gunma, Ehime, novembre 1988-avril 1989
Bibliographie
André de Ridder, « La Fontaine vu par Chagall », *Variétés*, Bruxelles, 15 février 1930, vol. II, n° 10

L'OISEAU BLESSÉ D'UNE FLÈCHE*

Stedelijk Museum, Amsterdam
Meyer n° 427
Bernheim n° 90
Hist. collections
Collection Regnault
Hist. expositions
Marc Chagall, Moderna Museet, Stockholm, 25 septembre-5 décembre 1982
Susan Compton, *Marc Chagall, mein Leben, mein Traum*, Wilhelm-Hack Museum, Ludwigshafen, 7 avril-3 juin 1990
Bibliographie
Franz Meyer, *Marc Chagall*, Flammarion, Paris, 1964

L'OURS ET L'AMATEUR DES JARDINS*

Collection particulière
Meyer n° 422
Bernheim n° 73
Hist. collections
Acheté à la galerie Flechtheim, Berlin
Collection Arnhold, Dresde
Collection Lisa Arnhold, New York
Hist. expositions
Chagall, Kunsthaus, Zurich, 6 mai-30 juillet 1967
Marc Chagall, Kunsthalle, Cologne, 2 septembre-31 octobre 1967
Bibliographie
Franz Meyer, *Marc Chagall,* Flammarion, Paris, 1964
Werner Haftmann, *Chagall,* Éditions Cercle d'art, Paris, 1975
Werner Haftmann, *Chagall,* Ars Mundi, Paris, 1986
Werner Haftmann, *Marc Chagall,* Nouvelles Éditions françaises, Paris

L'OURS ET LES DEUX COMPAGNONS*

Kurpfälzisches Museum, Heidelberg
Bernheim n° 35
Hist. collections
Collection Jacques Rodier, Paris, 1951
Collection Fritz Grunebaum, Brienz
Hist. expositions
Marc Chagall, Kunsthaus, Zurich, 9 décembre 1950-28 janvier 1951
Chagall, Kunsthalle, Berne, 4 février-4 mars 1951
Susan Compton, *Marc Chagall, mein Leben, mein Traum,* Wilhelm-Hack Museum, Ludwigshafen, 7 avril-3 juin 1990

LE PAON SE PLAIGNANT À JUNON

Localisation actuelle inconnue
Meyer n° 430
Bernheim n° 94
Hist. collections
Collection Albert A. List, New York
Perls Galleries, New York
Vente Christie's, New York, lot n° 656, 21 mai 1981
Hist. expositions
Chagall, galerie Chalette, New York, mars-avril 1958
Marc Chagall, The Solomon R. Guggenheim Museum, New York, 8 juin-28 septembre 1975
Impresario Ambroise Vollard, The Museum of Modern Art, New York ; Art Gallery of Ontario, Toronto ; Krannert Art Museum, Champaign ; The Museum of Art, Toledo, juin 1977-avril 1978
Bibliographie
Franz Meyer, *Marc Chagall,* Flammarion, Paris, 1964
Werner Haftmann, *Marc Chagall, gouaches, dessins, aquarelles,* Éditions du Chêne, Paris, 1975

LA PERDRIX ET LES COQS*

Collection Arland, Paris
Bernheim n°s 14 et 77
Hist. collections
Collection Marcel Arland, Paris
Hist. expositions
Marc Chagall, Galerie Vendôme, Paris 1944-45, n° 23

LE PETIT POISSON ET LE PÊCHEUR

Localisation actuelle inconnue
Bernheim n° 53
Hist. collections
Vente Sotheby's, Londres, lot n° 391, 26 mars 1986
Bibliographie
Franz Meyer, *Marc Chagall,* Flammarion, Paris, 1964

LES POISSONS ET LE BERGER QUI JOUE DE LA FLÛTE

Localisation actuelle inconnue
Bernheim n° 74

LE POT DE TERRE ET LE POT DE FER*

Collection particulière, G. P.
Bernheim n° 83

LA POULE AUX ŒUFS D'OR

Collection particulière, Genève
Bernheim n° 89
Hist. collections
Vente Christie's, Londres, 9 juillet 1965
Vente Galliera, Paris, lot n° 25, 11 juin 1974
(Me Guy Loudmer)

LE RAT ET L'ÉLÉPHANT*

Collection particulière
Meyer n° 435
Bernheim n° 61
Hist. collections
Vente Sotheby's, Londres, lot n° 403, 5 décembre 1984
Hist. expositions
Susan Compton, *Marc Chagall, mein Leben, mein Traum,* Wilhelm-Hack Museum, Ludwigshafen, 7 avril-3 juin 1990
Bibliographie
Franz Meyer, *Marc Chagall,* Flammarion, Paris, 1964

LE RENARD AYANT LA QUEUE COUPÉE

Localisation actuelle inconnue
Bernheim n° 81

LE RENARD ET LE BOUC

Localisation actuelle inconnue
Meyer n° 421
Bernheim n° 100
Hist. collections
Collection Sonia Brown, Los Angeles (vers 1964)
Bibliographie
Franz Meyer, *Marc Chagall*, Flammarion, Paris, 1964
Werner Haftmann, *Chagall*, Éditions Cercle d'art, Paris, 1975
Werner Haftmann, *Chagall*, Ars Mundi, Paris, 1986
Werner Haftmann, *Marc Chagall*, Nouvelles Éditions françaises, Paris

LE RENARD ET LE BUSTE

Localisation actuelle inconnue
Bernheim n° 72
Hist. collections
Chester H. Johnson Gallery, Chicago
Vente Sotheby's, Londres, lot n° 102, 3 décembre 1970

LE RENARD ET LES POULETS D'INDE

Collection particulière, San Francisco
Meyer n° 423
Bernheim n° 26
Hist. collections
Acheté à la galerie Flechtheim, Berlin
Collection Arnhold, Dresde
Collection Lisa Arnhold, New York
Hist. expositions
Chagall, Kunsthaus, Zurich, 6 mai-30 juillet 1967
Marc Chagall, Kunsthalle, Cologne, 2 septembre-31 octobre 1967
Bibliographie
Franz Meyer, *Marc Chagall*, Flammarion, Paris, 1964

LE RENARD ET LES RAISINS*

Collection Larock-Granoff, Paris
Meyer n° 432
Bernheim n° 96
Hist. collections
Vente galerie Charpentier, lot n° 7, 13 juin 1958
Collection Katia Granoff, Paris
Hist. expositions
Marc Chagall, O'Hana Gallery, Londres, juin-août 1961
Marc Chagall et les Fables de La Fontaine, musée du Pays de Sarrebourg, 15 mai-15 juillet 1992
Bibliographie
Franz Meyer, *Marc Chagall*, Flammarion, Paris, 1964

LE RIEUR ET LES POISSONS

Localisation actuelle inconnue
Meyer n° 447
Bernheim n° 66
Hist. collections
Galerie Wildenstein, New York (vers 1960)
Bibliographie
Franz Meyer, *Marc Chagall*, Flammarion, Paris, 1964

LE SATYRE ET LE PASSANT*

Collection particulière
Meyer n° 455
Bernheim n° 38
Hist. collections
Collection J. B. Neumann, New York
Collection Joseph H. Hirshorn, New York (vente Parke-Bernet Galleries, New York, lot n° 26, 10 novembre 1948)
James Vigeveno Galleries, Los Angeles
Collection Mme Harold-M. English, Los Angeles
Los Angeles Country Museum of Art (don de Mrs English)
Gekkoso Gallery, Tōkyō
Vente Sotheby's, New York, 12 novembre 1987
Hist. expositions
Paintings by Marc Chagall, Demotte Inc., New York, 1930
Marc Chagall, 75th Anniversary Exhibition, Art Center, La Jolla, Californie, 1962
Marc Chagall, musée municipal de Kyoto, Japon, 20 novembre-10 décembre 1963
Chagall et le Théâtre, musée des Augustins, Toulouse, 15 juin-15 septembre 1967
Marc Chagall, Works on Paper, The Solomon R. Guggenheim Museum, New York, 8 juin-28 septembre 1975
Susan Compton, *Marc Chagall, mein Leben, mein Traum*, Wilhelm-Hack Museum, Ludwigshafen, 7 avril-3 juin 1990
Marc Chagall, galerie Gérald Piltzer, Paris, 3 mars-10 mai 1993
Bibliographie
André de Ridder, « La Fontaine vu par Chagall », *Variétés*, Bruxelles, 15 février 1930, vol. II, n° 10
Franz Meyer, *Marc Chagall*, Flammarion, Paris, 1964
Jean Cassou, *Chagall*, Thames and Hudson, Londres, 1965
Andrew Kagan, *Chagall, Modern Masters Series*, Abbeville Press, New York, 1989

LE SAVETIER ET LE FINANCIER

Localisation actuelle inconnue
Bernheim n° 44

LE SINGE ET LE LÉOPARD

Localisation actuelle inconnue
Bernheim n° 85
Hist. collections
Collection René Huyghe, Paris, 1969 ?-1973
Vente Hôtel Drouot, lot n° 94, 5 juin 1973
(Mes Laurin, Guilloux et Buffetaud)
Hist. expositions
Chagall, Grand Palais, Paris, décembre 1969-mars 1970

LE SOLEIL ET LES GRENOUILLES*

Collection Bernheim-Jeune
Meyer n° 428
Bernheim n° 59
Hist. expositions
Paysages de France, Galerie Bernheim-Jeune, Paris, mars-mai 1961, n° 17
Marc Chagall, Kunsthaus, Zurich, 6 mai-30 juillet 1967
Marc Chagall, Fondation Anne et Albert Prouvost, Marcq-en-Barœul, 2 octobre-15 décembre 1975
Bibliographie
Franz Meyer, *Marc Chagall*, Flammarion, Paris, 1964

LA SOURIS MÉTAMORPHOSÉE EN FILLE*

Collection particulière, France
Meyer n° 450
Bernheim n° 60
Hist. collections
Vente hôtel des ventes, Enghien-les-Bains, lot n° 93, 18 novembre 1979 (Mes Francis Lombrail et Gérard Champin)
Bibliographie
Franz Meyer, *Marc Chagall*, Flammarion, Paris, 1964

LE STATUAIRE ET LA STATUE DE JUPITER

Collection particulière
Bernheim n° 46
Hist. collections
Vente Versailles Floralies, lot n° 96, 4 juin 1980
(Me Georges Blache)

LE TESTAMENT EXPLIQUÉ PAR ÉSOPE

Localisation actuelle inconnue
Bernheim n° 16

LA TORTUE ET LES DEUX CANARDS

Localisation actuelle inconnue
Bernheim n° 24
Hist. collections
Vente Drouot, Paris, lot n° 10, 23 novembre 1987

LA VIEILLE ET LES DEUX SERVANTES

Collection particulière
Bernheim n° 8
Hist. collections
Collection particulière, Vence, 1960
Collection Herman Shickman, New York
Brook Street Gallery, Londres
Collection Fleischer, Philadelphie
Vente Sotheby's, Londres, 7 décembre 1983
Vente Sotheby's, Londres, 26 juin 1985
Vente Drouot, mars 1988
Vente hôtel des ventes, Lyon, 1er juin 1988
Vente Sotheby's, Londres, lot n° 221, 29 juin 1994
Hist. expositions
Marc Chagall, Galerie Klipstein & Kornfeld, Berne, 30 avril-28 mai 1960
Bibliographie
Werner Haftmann, *Marc Chagall, gouaches, dessins, Aquarelles*, Éditions du Chêne, Paris, 1975

LE VILLAGEOIS ET LE SERPENT

Localisation actuelle inconnue
Meyer n° 449
Bernheim n° 51
Bibliographie
Franz Meyer, *Marc Chagall*, Flammarion, Paris, 1964

BIBLIOGRAPHIE

ARTICLES (QUOTIDIENS ET REVUES)

1927
Jacques Guenne, « Marc Chagall », *L'Art vivant*, Paris, 15 décembre, n° 72, p. 999-1010.

1928
René Schwob, « Les *Fables* de La Fontaine par Chagall », *Cahiers d'art*, Paris, n° 4, p. 167.

1929
Ambroise Vollard, « De La Fontaine à Chagall », *L'Intransigeant*, Paris, 8 janvier, p. 5-6.
Pierre Courthion, « Chagall et les *Fables* », *Cahiers d'art*, Paris, n° 5, p. 215-216.

1930
Christian Zervos, « Les *Fables* de La Fontaine », *Cahiers d'art*, Paris, n° 1, p. 52-53.
« Chagall et La Fontaine », *Comœdia*, Paris, 11 février, p. 3.
Guy de la Brosse, « Nouvelles des arts », *Paris Soir*, Paris, 13 février, p. 2.
André de Ridder, « La Fontaine vu par Chagall », *Variétés*, Bruxelles, 15 février, vol. II, n° 10, p. 735-736.
Arsène Alexandre, « La vie artistique, un singulier illustrateur », *Le Figaro*, Paris, 17 février, p. 3.
Pierre du Colombier, « La Fontaine et Chagall », *Candide*, Paris, 20 février, n° 310.
Jean Cassou, « La Fontaine et Chagall », *L'Art vivant*, Paris, 1er mars, n° 125, p. 199.
Hubert Colleye, « La Fontaine vu par Chagall », *La Métropole*, Anvers, 9 mars.
Marcel Schmitz, « Les *Fables* de La Fontaine traduites par Chagall », *XXe Siècle*, Paris, 9 mars.
Marcel Schmitz, « Les *Fables* de La Fontaine traduites par Chagall », *L'Avenir du Luxembourg*, Arlon, 17 mars.
Max Osborn, « 100 *Fabeln* von Marc Chagall », *Vossische Zeitung*, Berlin, 12 avril.
Door van den Eeckhout, « Marc Chagall's illustraties bij Fabels van La Fontaine », *Elsevier's Geillustreerd Mannschrift*, Amsterdam, septembre.
Fernand Marc, « Les *Fables* de La Fontaine, illustrées par Chagall », *Sagesse*, Paris, n° 11.

1944
Jacques Guenne, « La vérité sur Vollard », *Les Cahiers des belles lettres*, Neuchâtel, n° 3, mai.

1952
Gaston Bachelard, « Les *Fables* et Chagall ou la lumière des origines », *Arts*, Paris, 28 mars.
Gaston Bachelard, « La lumière des origines », *Derrière le miroir*, Paris, mars-avril, n° 44-45.
Charles Estienne, « Le mur des fables », *Derrière le miroir*, Paris, mars-avril, n° 44-45.
Ambroise Vollard, « J'édite les *Fables* de La Fontaine et je choisis Chagall comme illustrateur », *Derrière le miroir*, Paris, mars-avril, n° 44-45.

1953
J. R. Thomé, « Marc Chagall », *Le Courrier graphique*, Paris, mars-avril, n° 64, p. 5-11.

1968
Burlington Magazine, Londres, décembre, n° 789 (vente Parke-Bernet Galleries, 18 décembre).

1970
Burlington Magazine, Londres, juin, n° 807 (vente Sotheby's, 2 juillet).

1990
Barbara Riederer-Grohs, « Bilder der Erinnerung », *Weltkunst*, Munich, 15 mai, n° 10.

CATALOGUES D'EXPOSITION

1930
La Fontaine par Chagall, galerie Bernheim-Jeune, Paris, 10 février-21 février.
La Fontaine par Chagall, galerie Le Centaure, Bruxelles, 1er-19 mars.
La Fontaine von Marc Chagall, galerie Flechtheim, Berlin, avril.
Paintings by Marc Chagall, Demotte Inc., New York.

1941
XXth International Exhibition of Watercolours, Art Institute, Chicago.

1944-1945
Marc Chagall, galerie Vendôme, Paris

1946
Chagall, The Museum of Modern Art, New York.

1950-1951
Marc Chagall, Kunsthaus, Zurich, 9 décembre-28 janvier.

1951
Chagall, Kunsthalle, Berne, 4 février-4 mars.

1958
Chagall, galerie Chalette, New York, mars-avril.
De l'impressionnisme à nos jours, aquarelles, pastels, gouaches, musée national d'Art moderne, Paris, juin.

1959
Marc Chagall, Kunstverein, Hambourg, 6 février-22 mars.
Marc Chagall, Haus der Kunst, Munich, 7 avril-31 mai.
Marc Chagall, musée des Arts décoratifs, Paris, 14 juin-septembre.

1960
Marc Chagall, galerie Klipstein & Kornfeld, Berne, 30 avril-28 mai.

1961
Marc Chagall, galerie O'Hana, Londres, juin-août.
Paysages de France, galerie Bernheim-Jeune, Paris, mars-mai 1961, n° 17

1962
Marc Chagall, 75th Anniversary Exhibition, Art Center, La Jolla, Californie, 1962.

1963
Le Centaure, musée d'Ixelles, Bruxelles, février-mars.
Marc Chagall, musée municipal, Kyōto, 20 novembre-10 décembre.
French Paintings since 1900, French Private Collections in France, Royal Academy of Arts, Londres.

1967
Marc Chagall, Kunsthaus, Zurich, 6 mai-30 juillet.
Chagall et le théâtre, musée des Augustins, Toulouse, 15 juin-15 septembre.
Marc Chagall, Kunsthalle, Cologne, 2 septembre-31 octobre.

1969-1970
Hommage à Marc Chagall, Grand Palais, Paris, décembre-mars.

1970
Le Legs Vollard, musée des Beaux-Arts Léon-Dierx, Saint-Denis, La Réunion, septembre.

1972
Marc Chagall, Budapest, 14 octobre-5 novembre.

1975
Marc Chagall: Work on Paper, Solomon R. Guggenheim Museum, New York, 8 juin-28 septembre.
Hommage à Marc Chagall, Fondation Anne et Albert Prouvost, Marcq-en-Barœul, 2 octobre-5 décembre.

1976
Marc Chagall, Staatliche Kunstsammlungen, Dresde, 11 septembre-14 novembre.

1977-1978
Impresario - Ambroise Vollard, The Museum of Modern Art, New York,
Impresario - Ambroise Vollard, Art Gallery of Ontario, Toronto,
Impresario - Ambroise Vollard, Krannert Art Museum, Champaign, *Impresario - Ambroise Vollard*, The Museum of Art, Toledo, juin 1977-avril 1978

1982
Marc Chagall, Moderna Museet, Stockholm, 25 septembre-5 décembre.

1984-1985
Marc Chagall, galerie Beyeler, Bâle, novembre-février.

1988-1989
La Grande Aventure de Montparnasse, Kanagawa, Kumamoto, Gunma, Ehime, novembre 1988-avril 1989

1990
Marc Chagall, mein Leben, mein Traum, Wilhelm-Hack-Museum, Ludwigshafen am Rhein, 7 avril-3 juin.

1992
Marc Chagall et les « Fables » de La Fontaine, musée du Pays de Sarrebourg, Sarrebourg, 15 mai-15 juillet.

1992-1993
Marc Chagall, Palazzo dei Diamanti, Ferrare, 20 septembre-3 janvier.

1993
Chagall : Vitebsk, Saint-Pétersbourg, Paris, galerie Gérald Piltzer, Paris, 5 mars-8 mai.

OUVRAGES

1928
André Salmon, *Chagall*, Éditions des Chroniques du jour, Paris.
Waldemar George, *Marc Chagall*, Gallimard, Paris.

1931
René Schwob, *Chagall et l'âme juive*, Roberto A. Correa, Paris.

1937
Ambroise Vollard, *Souvenirs d'un marchand de tableaux*, Albin Michel, Paris.

1943
Raïssa Maritain, *Marc Chagall*, La Maison française, New York.

1944
Una E. Johnson, *Ambroise Vollard éditeur, 1867-1939*, Wittenborn and Co., New York.

1946
Marie Dormoy, *Ambroise Vollard éditeur*, La Feuille blanche, 17 janvier.

1948
Robert Rey, *La Peinture moderne ou l'Art sans métier*, Presses universitaires françaises, Paris.

1957
Walter Erben, *Marc Chagall : der Maler mit den Engelsflügeln*, Prestel Verlag, Munich.

1964
Franz Meyer, *Marc Chagall*, Flammarion, Paris.

1965
Jean Cassou, *Chagall*, Thames and Hudson, Londres.

1968
Raymond Cogniat, *Chagall*, Flammarion, Paris.

1972
Werner Haftmann, *Marc Chagall*, Nouvelles Éditions françaises, Paris.

1975
Werner Haftmann, *Marc Chagall, gouaches, dessins, aquarelles*, Éditions du Chêne, Paris.
Werner Haftmann, *Marc Chagall*, Éditions du Cercle d'art, Paris.

1977
Una E. Johnson, *Ambroise Vollard éditeur, Prints, Books, Bronzes*, The Museum of Modern Art, New York.
Alfred Werner, *Chagall, Watercolors and Gouaches*, Watson-Guptill Publications, New York.

1980
Jean Milo, *Vie et survie du «Centaure»*, Éditions nationales d'art, Bruxelles.

1981
André Malraux, Robert Sorlier, Robert Marteau, *Marc Chagall et Ambroise Vollard*, Éditions Galerie Matignon, Paris.

1984
Gérard Greverand, *L'Illustration des « Fables » de La Fontaine. Étude iconographique, 1668-1983*, doctorat de troisième cycle en littérature française, Rouen.

1986
Alain-Marie Bassy, *Les « Fables » de La Fontaine, quatre siècles d'illustration*, Promodis, Paris.
Werner Haftmann, *Marc Chagall*, Ars Mundi, Gennevilliers.

1989
Andrew Kagan, *Chagall*, Abbeville Press, New York.
Charles Sorlier, *Chagall, le Patron*, Librairie Séguier, Paris.

1990
Charles Sorlier, *Marc Chagall ; le livre des livres : the Illustrated Books*, M. Trinckvel, Paris.

SOMMAIRE

Les gouaches présentées dans l'une et/ou l'autre des expositions sont signalées par un astérisque.

Crédits photographiques

Christian Baur, Bâle, couverture, pp. 49, 55, 65, 67.
Hans Engels, Munich, p. 93.
Jacques Faujour, Saint-Maur, pp. 37, 39, 51, 71, 75, 94, 95, 121.
Foto Studio Otto, Vienne, p. 57.
Cecil Keeffe, San Francisco, p. 79.
Kunstfoto Speldtdoorm, Bruxelles, p. 39.
Philippe Migeat, Centre Georges-Pompidou, Paris, p. 33.
Madrissa, Monaco, p. 87.
Or Création, p. 105.
Photothèque des musées de la Ville de Paris, p. 71.
Photo Studio R+B Reiter, Zurich, p. 107.
Stedelijk Museum, Amsterdam, p. 51.
WG Atwill, p. 35.

Publication du département des éditions dirigé par
Béatrice Foulon

Conception graphique et réalisation
Grégoire Gardette

Couverture
Cécile Neuville

Coordination éditoriale
Nathalie Brunet-Hazan

Relecture
Dominique Froelich
Gérard Haller
Patrick Mahuet

Fabrication
Jacques Venelli

Cet ouvrage a été achevé d'imprimer en février 2003
sur les presses de l'imprimerie Floch / London à Paris ;
les textes ont été composés en Cochin sur une saisie de Gilles Gratté ;
les illustrations ont été gravées par Espace-Graphic ;
la reliure a été réalisée par la SIRC

1er dépot légal : octobre 1995
Dépôt légal : février 2003

3e edition revue et corrigée